Hauptkurs

Kursbuch + Arbeitsbuch
Lektion 1–5

Michaela Perlmann-Balme
Susanne Schwalb

Hueber Verlag

AB 8 3 = Arbeitsbuch: Seite und Aufgabennummer

P 5 = Aufgabe zur Prüfungsvorbereitung

GR 5 = Aufgabe zur Grammatik

GR S. 30 = Grammatikanhang der Lektion auf der angegebenen Seite

ÜG S. 46 = em Übungsgrammatik (ISBN 978-3-19-001657-0) auf der angegebenen Seite

zu Seite 10, 2 = Kursbuch: Seite und Aufgabennummer

7. 6. 5. | Die letzten Ziffern
2016 15 14 13 12 | bezeichnen Zahl und Jahr des Druckes.
Alle Drucke dieser Auflage können, da unverändert,
nebeneinander benutzt werden.
1. Auflage

Layout: Marlene Kern, München
Verlagsredaktion: Dörte Weers, Maria Koettgen, Thomas Stark, Hueber Verlag, Ismaning
Zeichnungen: Martin Guhl, Duillier Genf
Druck und Bindung: Himmer AG, Augsburg
Printed in Germany
ISBN 978-3-19-541695-5

INHALT KURSBUCH

INHALT ARBEITSBUCH

INHALT ARBEITSBUCH

KURSPROGRAMM

VORWORT

Liebe Leserin, lieber Leser,

in den vergangenen Jahren haben viele erwachsene Lernende weltweit ihre Deutschkenntnisse mit dem Lehrwerk *em Hauptkurs* ausgebaut. Dieses Lehrwerk eignet sich für Lerner, die das Zertifikat Deutsch mit einer guten Note bestanden haben oder außerhalb eines Kurses vergleichbare Sprachkenntnisse erworben haben.

Wenn Sie alle Lektionen in Kurs- und Arbeitsbuch erfolgreich durcharbeiten, können Sie am Ende eines Kurses das Niveau B2 erreichen, das im *Gemeinsamen europäischen Referenzrahmen für Sprachen* als die vierte von sechs Stufen beschrieben ist.

Um Ihre Chancen bei einer Stellenbewerbung bzw. für eine Bewerbung um einen Studienplatz zu steigern, können Sie sich diese hohe Kompetenz durch folgende Zertifikate bestätigen lassen:

- an Goethe-Instituten: *Goethe-Zertifikat B2*
- für Studienplatzbewerber: *TestDaF*
- für Erwachsene an Volkshochschulen und anderen Einrichtungen der Erwachsenenbildung: *telc B2* oder *ÖSD B2 Mittelstufe Deutsch.*

Das flexible Baukastensystem von *em* erlaubt es Ihnen, in einem Kurs ein Lernprogramm zusammenzustellen, das auf Ihre Bedürfnisse abgestimmt ist. Mit *em* werden die vier Fertigkeiten – Lesen, Hören, Schreiben und Sprechen – systematisch trainiert. Dabei gehen wir von der lebendigen Sprache aus. Das breite Spektrum an Texten, das Sie im Inhaltsverzeichnis aufgelistet finden, spiegelt die aktuelle Realität außerhalb des Klassenzimmers wider, für die wir Sie fit machen wollen. Sie begegnen Werken der deutschsprachigen Literatur ebenso wie Texten aus der Presse und dem Rundfunk oder der Fachliteratur. Auch beim Sprechen und Schreiben haben wir darauf geachtet, dass Sie mit praxisorientierten Anlässen sprachlich agieren lernen. Sie können Strategien bei einem Beratungsgespräch ebenso üben wie ein geschäftliches Telefonat.

Unser Grammatikprogramm stellt Ihnen bereits Bekanntes und Neues im Zusammenhang dar. So können Sie Ihr sprachliches Wissen systematisch ausbauen. Auf den letzten Seiten jeder Lektion ist der Grammatikstoff übersichtlich zusammengestellt.

Viel Spaß beim Lesen, Lernen und Durcharbeiten wünschen Ihnen

Michaela Perlmann-Balme
Susanne Schwalb

MENSCHEN

1 **Bilden Sie aus Ihren Vornamen eine Kette:**

1 (Maria): Maria.
2 (Kevin): Maria, Kevin.
3 (Lisa): Maria, Kevin, Lisa.

Nachdem der Letzte alle Namen aufgesagt hat, wiederholt die Kursleiterin/der Kursleiter die Reihe und hängt ihren/seinen Namen dran.

2 **Gehen Sie in der Klasse herum. Sprechen Sie mit jedem und finden Sie bei diesen Gesprächen jeweils zwei Gemeinsamkeiten heraus, zum Beispiel**

a) Herkunftsland
b) Beruf
c) Geburtsjahr
d) Lieblingsfarbe
e) Hobbys

Sie haben zehn Minuten Zeit. Danach berichten Sie in der Klasse, welche Gemeinsamkeiten Sie gefunden haben.

1

Fragebogen

Ihr Lieblingsfilm?	*Der blaue Engel.*
Was essen Sie gern?	*Alles, was dick macht.*
Was fasziniert Sie?	*Intelligenz mit Charme.*
Ihre Lieblingsmusik?	*Bach.*
Was macht Sie wütend?	*Kaum etwas.*
Wo möchten Sie leben?	*In einer interessanten Stadt.*
Wie möchten Sie sterben?	*Ohne Angst.*
Wie alt möchten Sie werden?	*So alt wie meine Wünsche.*
Wie viel Geld möchten Sie besitzen?	*So viel, dass ich nicht ständig daran denken muss.*
Worüber können Sie (Tränen) lachen?	*Über den englischen Komiker Rowan Atkinson.*
Wer sind die klügsten Köpfe unserer Zeit?	*Die Erfinder dieses Fragebogens.*
Welchen Traum möchten Sie sich unbedingt erfüllen?	*Das Matterhorn zu besteigen.*
Ein Jahr auf einer einsamen Insel – welche drei Bücher nehmen Sie mit?	*Die Bibel, die Gedichte Europas seit Homer, ein leeres Buch zum Selbstschreiben.*

1

Lesen Sie den Fragebogen.

Markieren Sie sechs Fragen, die Ihnen gut gefallen. Schreiben Sie diese auf ein separates Blatt. Lassen Sie nach jeder Frage etwas Platz für eine Antwort.

2

Machen Sie zu zweit ein Interview.

Stellen Sie einer Lernpartnerin/einem Lernpartner die ausgewählten sechs Fragen. Notieren Sie sich die Antworten. Anschließend stellen Sie Ihre Partnerin/Ihren Partner der Klasse vor.

AB 8 3

LESEN 1

1 **Kennen Sie eine international bekannte deutschsprachige Person, die in Ihrem Heimatland lebt oder gelebt hat?**

ⓐ Wann hat sie gelebt?

ⓑ Wofür ist die Person bekannt?
Sprechen Sie zuerst in der Gruppe, danach im Kurs.

***Er/Sie ist** bekannt für ...*
***hat** ... erfunden.*
... entdeckt.
... geschrieben.
... gebaut.

2 Welche Themen passen zu diesen Bildern?

Architektur – Ernährung – Geografie – Politik – Industrie – Literatur – Musik

3 **Welche der folgenden Persönlichkeiten sind in den Texten A–D beschrieben?**

- ~~Marie Antoinette~~
- Maria Theresia
- Joseph Haydn
- Julius Maggi
- Heinrich Steinweg
- August Thyssen
- Georg Forster
- Walter Gropius
- Alexander von Humboldt

A ______________________

Er fühlte sich in den Salons der guten Gesellschaft genauso wohl wie in den Indianerdörfern am Orinoko, bei den deutschen Siedlern an der Wolga oder den Nomadenstämmen in Asien. Als er – wie man damals sagte – die zivilisierte Welt verließ, um in unbekannten Welten sein Leben zu führen, überraschte er alle Wissenschaftler von Rang. Ihnen erschien es abenteuerlich, Erkenntnisse in Urwäldern und Wüsten zu suchen. Er entwickelte die Grundlagen der wissenschaftlichen Länderkunde, wurde zum Begründer der physischen Geografie und fand neben seinen Reisen, seiner Lehrtätigkeit und seinen diplomatischen Missionen im Dienst des Königs von Preußen auch noch die Zeit, seine Forschungsergebnisse in dreißig dicken Bänden zu veröffentlichen.

B Marie Antoinette

Sie wurde als fünfzehntes Kind der Kaiserin von Österreich geboren. Sie war lebenslustig, spielte Klavier, sang ganz ordentlich und besaß einen starken Hang zu Luxus und Glücksspiel. Als sie im Alter von 14 Jahren mit dem Thronfolger von Frankreich verheiratet wurde, war die Welt des alten Europa noch in bester Ordnung. Doch dann reagierte das Volk Frankreichs seinen angestauten Hass in der Französischen Revolution ab. Als Ausländerin, ja gar als Österreicherin war sie von vornherein suspekt. Das machte sie – neben ihrem aufwendigen Lebenswandel – zu einem beliebten Angriffsziel. In böswilligen Flugblättern wurde sie als „Bestie" dargestellt. Als sie 1793 genau wie ihr Mann hingerichtet wurde, hatte sie die Hölle auf Erden erlebt.

C ________________________

Als er zur Welt kam, war das Klavierspiel gerade zu einem wichtigen Teil eines bürgerlichen Lebensstils geworden. Ein amerikanischer Tourist in Wien beklagte sich im Jahr 1825: „In jedem Bürgerhaus ist das Klavier das Erste, was man erblickt. Kaum hat der Gast Platz genommen und von dem wässerigen Wein getrunken, wird das Fräulein Karoline, oder wie es sonst heißen mag, von den stolzen Eltern aufgefordert, dem Gast etwas vorzuspielen." Der Dichter Heinrich Heine seufzte: „Dem Piano kann man nirgends mehr ausweichen." Heine schrieb dies 1853, im Gründungsjahr der drei großen Konzertflügelhersteller Bechstein, Blüthner und eben ... Letzterer war nach Amerika ausgewandert und hatte seinen Namen der neuen Sprache angepasst.

D ________________________

Es gab Zeiten, als im Wirtshaus neben dem Salz- und Pfefferstreuer ganz automatisch ein gewisses braunes Fläschchen stand! Der Erfinder dieses Gewürzes ist gebürtiger Italiener, dessen Familie 1828 in die Schweiz einwanderte. Er beschäftigte sich mit sozialen Fragen, die aber viel mit Ernährung zu tun hatten. Ende des 19. Jahrhunderts zogen in die Fabriken nämlich Frauen ein – vor allem auf den billigen Arbeitsplätzen. Das hatte Konsequenzen: Die Zeit für den Haushalt, besonders für die Zubereitung der Mahlzeiten, wurde knapp. Die Lösung: das Fertiggericht. Trockensuppen wurden ein großer Erfolg. Dann kam noch die Speisewürze in der Flasche hinzu. Bald war ein europaweites Unternehmen entstanden.

AB 9 4

4 **Ergänzen Sie Informationen zu den Persönlichkeiten.**

Person	Lebensdaten	Herkunftsland	Beruf/Position	berühmt wofür?

1

GR 5 **Unterstreichen Sie Adjektive und Adverbien in den Texten.** GR S. 25, 1

Welche stehen beim Nomen, welche beim Verb bzw. Prädikat? Warum hat z.B. *lebenslustig* in Text B keine Endung?

GR 6 **Ergänzen Sie – wo möglich – je ein Beispiel aus den Texten B bis D.** ÜG S. 30–35

Markieren Sie die Artikel sowie die Endungen der Adjektive.

	Singular			Plural	
	Singular mit bestimmtem Artikel	Singular ohne Artikel	Singular mit unbestimmtem Artikel	Plural mit Artikel	Plural ohne Artikel
NOM					
AKK	die zivilisierte Welt				
DAT				den deutschen Siedlern	dicken Bänden
GEN	der guten Gesellschaft				

AB 9 5–11

GR 7 **Erklären Sie die Adjektivendungen aus den Texten. Arbeiten Sie in Gruppen.**

in den Salons der guten Gesellschaft — -n: Singular, mit bestimmtem Artikel, Genitiv
bei den deutschen Siedlern — -n: Plural, mit bestimmtem Artikel, Dativ

SPRECHEN 2

1 **Wählen Sie eine der Personen auf den Fotos aus.**

Geben Sie ihr einen Namen und denken Sie sich eine Biografie aus. Notieren Sie Stichpunkte zu:

- a) Geburtsdatum
- b) Geburtsort
- c) Schulbildung
- d) Berufsweg
- e) entscheidende Erlebnisse
- f) Familie

2 **Stellen Sie „Ihre" Person in der Klasse vor.**

SPRECHEN 3

1 **Unsere Besten – Wofür könnte das ein Titel sein?**

ⓐ Für eine Sendung über wichtige deutsche Persönlichkeiten.
ⓑ Für eine Talkshow mit Stars aus Rundfunk und Fernsehen.
ⓒ Für eine Sportsendung.

2 **Sehen Sie sich die Fotos und Namen im Bild an.**

ⓐ Welchen Namen kennen Sie?
ⓑ Was hat diese Person gemacht?
ⓒ Wer fehlt Ihrer Meinung nach?

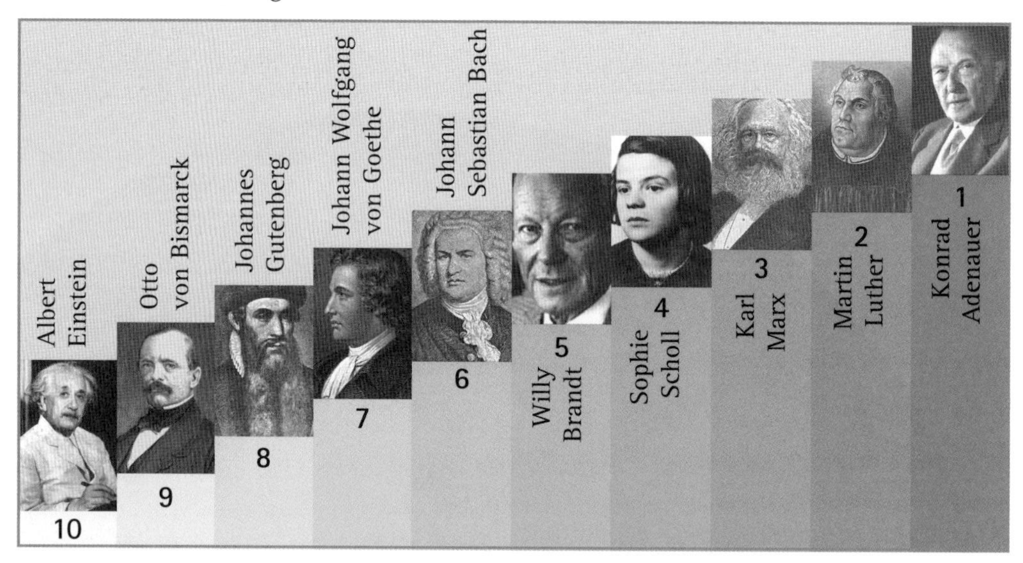

3 Wer ist wer?

Ordnen Sie zu. Benutzen Sie, wenn nötig, ein Lexikon.

Die 10 Besten

	Name	Vorname	Tätigkeit	Leistung/Werk
1.	Adenauer	Albert	Bundeskanzler	Bibelübersetzung
2.	Luther	Johann Sebastian	Bundeskanzler	Buchdruck
3.	Marx	Johann Wolfgang von	Dichter	*Das kommunistische Manifest*
4.	Scholl	Johannes	Erfinder	*Faust*
5.	Brandt	Karl	Komponist	*Matthäus-Passion*
6.	Bach	Konrad	Philosoph	Ostpolitik
7.	Goethe	Martin	Physiker	Reichsgründung
8.	Gutenberg	Otto von	Reformator	Widerstand
9.	Bismarck	Sophie	Reichskanzler	Wiederaufbau
10.	Einstein	Willy	Studentin	Relativitätstheorie

4 **Welche dieser Persönlichkeiten ist für Sie der/die wichtigste Deutsche?**

Wählen Sie mindestens eine dieser Personen. Begründen Sie Ihre Wahl.

5 **Ermitteln Sie die Top 3 für Ihren Kurs.**

6 **Welches sind die „Besten" in Ihrem Heimatland?**

1 CD 1 | 1

Hören Sie nun einen Ausschnitt aus der Gesprächsrunde „Unsere Besten".

Über welche der Top 10 unterhalten sich die Personen?

2

Was wissen Sie über die beiden Personen?

3 CD 1 | 2–3

Lesen Sie die Aussagen unten.

Hören Sie nun das Gespräch in zwei Abschnitten. Entscheiden Sie während des Hörens oder danach, zu welcher Person die Aussagen passen.

	Über wen wird das gesagt?	Bach	Goethe
1.	Er musste von seiner künstlerischen Arbeit leben.	X	
2.	Er war nicht nur Künstler, sondern auch Politiker.		
3.	Er war ein Universalgenie.		
4.	Er wird heute noch häufig aufgeführt und interpretiert.		
5.	Er wird von Künstlern des Pop, Jazz und der Klassik interpretiert.		
6.	Er wünschte sich ein vereinigtes Deutschland.		
7.	Sein Werk wurde in viele Sprachen übersetzt.		
8.	Für Sting ist er der wichtigste Deutsche – die Nummer eins!		
9.	Heute werden seine Werke weniger häufig aufgeführt.		
10.	Sein Gesamtwerk umfasst über tausend Werke.		
11.	Seine Werke sind ein Stück Weltkultur.		
12.	Seine Werke waren meistens Auftragsarbeiten.		
13.	Was er sagte, war für viele Menschen in der DDR ein Trost.		
14.	Seine Werke wurden mit einer Raumsonde in den Weltraum geschickt.		
15.	Viele Deutsche können etwas von ihm auswendig.		

AB 12 13

4

Welche der Aussagen und Argumente haben Sie überzeugt?

Wer ist für Sie persönlich wichtiger, Bach oder Goethe? Warum?

WORTSCHATZ – *Charakter*

1 **Haben die folgenden Sätze eine positive (+) oder eine negative (–) Bedeutung?**

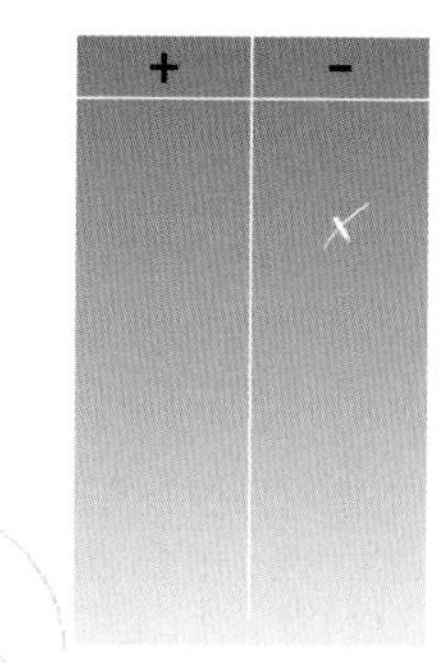

- ⓐ Sie arbeitet wie ein Pferd.
- ⓑ Ihr muss man alles dreimal sagen.
- ⓒ Er lässt dich nicht im Stich.
- ⓓ Sie lässt ihren Verlobten nicht aus den Augen.
- ⓔ Er nimmt wenig Rücksicht auf andere.
- ⓕ Sie gibt mit vollen Händen.
- ⓖ Er hat eine sehr hohe Meinung von sich.
- ⓗ Sie sagt, was sie denkt.

2 **Ordnen Sie die Sätze ⓐ–ⓗ den Nomen zu.**

Laster	Tugend
Eifersucht	Zuverlässigkeit
Stolz	Großzügigkeit
Egoismus	Fleiß
Trägheit	Offenheit

Wie heißen die entsprechenden Adjektive?

AB 11 12

3 **Kreuzen Sie an, welche Charaktereigenschaften auf Sie selbst zutreffen.**

5 Sie sind sehr geduldig.
4 Sie sind ziemlich geduldig.
3 Sie sind weder besonders geduldig noch besonders ungeduldig.
2 Sie sind ziemlich ungeduldig.
1 Sie sind sehr ungeduldig.

geduldig	5	4	3	2	1	ungeduldig
fleißig						faul
höflich						unhöflich
ordentlich						unordentlich
praktisch						unpraktisch
verantwortungs-bewusst						verantwortungs-los

Tauschen Sie nun den Raster mit Ihrer Partnerin/Ihrem Partner aus. Jetzt beschreibt jeder den anderen anhand des Rasters.

AB 13 14–15

4 **Gefühle lassen sich oft im Gesicht ablesen.**

Welche Gefühle sind auf den Bildern oben dargestellt? Begründen Sie Ihre Meinung.

ⓐ Der ältere Mann ist
- ☐ eifersüchtig auf jemanden
- ☐ erschrocken über etwas
- ☐ böse auf jemanden
- ☐ keins davon, sondern ...

ⓑ Die Frau ist
- ☐ zufrieden mit etwas
- ☐ erstaunt über etwas
- ☐ enttäuscht von etwas
- ☐ keins davon, sondern ...

ⓒ Der junge Mann ist
- ☐ dankbar für etwas
- ☐ beunruhigt über etwas
- ☐ interessiert an etwas
- ☐ keins davon, sondern ...

GR **5** **Unterstreichen Sie die Präpositionen in Aufgabe 4 ⓐ–ⓒ.**

GR S. 26/5

Ordnen Sie die Adjektive mit festen Präpositionen in den Kasten ein. Suchen Sie passende Ergänzungen.

Irgendwo → Somewhere.

Adjektiv + Präposition + Dativ	Adjektiv + Präposition + Akkusativ
enttäuscht von einem Mann	*eifersüchtig auf einen anderen Mann*

AB 13 16

6 **Lesen Sie die folgenden vier Personenbeschreibungen.**
Klären Sie unbekannte Wörter.

MEINE FREUNDIN

Ich kenne sie schon seit meinem ersten Schuljahr. Heute sehen wir uns nur noch selten, aber wenn wir uns treffen, ist es immer unheimlich lustig. Meistens gehen wir dann zusammen ins Kino und hinterher noch ein Glas Wein trinken. Sie hat ein sehr lebendiges und offenes Wesen und kann sich gut in andere hineindenken. Das macht sie zu einer angenehmen Gesprächspartnerin. Da sie außerdem auch ziemlich hübsch ist, laufen ihr die Männer hinterher.

Uncanny funny

MEIN FREUND

Neben ihm habe ich die letzten Jahre bis zum Abitur in der Schule gesessen. Er ist ein eher verschlossener Typ. Das Einzige, wofür er sich wirklich begeistern kann, sind Tiere. Seit ich ihn kenne, hält er sich irgendein Haustier. Wir gehen oft zusammen im Wald spazieren. Da taut er dann regelrecht auf und erklärt mir allerhand, was es zu sehen gibt. Bei Menschen, die er nicht kennt, ist er meistens furchtbar schüchtern.

MEINE TANTE

Tante Mathilde ist die Schwester meiner Mutter. Sie ist Mitte fünfzig und für ihr Alter sieht sie noch recht jugendlich aus. Sie hat zwei Söhne, die schon erwachsen sind. Für Hausarbeit interessiert sie sich überhaupt nicht. Trotz ihres Alters legt sie besonders viel Wert auf ihr Aussehen. Sie ist ausgesprochen gesellig und geht gerne mal in die Kneipe einen trinken. Abends wird sie erst richtig munter.

MEIN ONKEL

Von all meinen Verwandten ist mir Onkel Rudolf der Liebste. Er ist der jüngste Bruder meiner Mutter, hat nie geheiratet und lebt ziemlich zurückgezogen in einem kleinen Dorf. Als enorm belesener Mensch hat er in jeder freien Minute ein Buch vor der Nase. Deshalb kennt er sich auch in vielen Wissensgebieten äußerst gut aus. Zudem ist er ausgesprochen hilfsbereit. Leider ist er manchmal etwas unpraktisch, wenn es z.B. darum geht, einen Nagel in die Wand zu schlagen.

7 **Ergänzen Sie die Informationen aus dem Text.**
Jeweils eine Gruppe übernimmt eine der beschriebenen Personen.

Informationen über	Beispiel
Gesicht und Körper Charaktereigenschaften Vorlieben und Schwächen	*ziemlich hübsch*

AB 14 17

8 **Einige Adjektive im Text sind graduiert.**
Beispiel: *ziemlich hübsch*. Ergänzen Sie weitere Beispiele.

Graduierendes Adverb	Adjektiv
ziemlich	*hübsch*

9 **Ordnen Sie die graduierenden Adverbien in das Schema ein.** ÜG S. 40

verstärkt	verstärkt eine Negation	schwächt ab
unheimlich lustig ...	...	*recht jugendlich* ...

AB 14 18

1

SCHREIBEN 1

1 **Formulieren Sie folgenden Text so um, dass nicht jeder Satz mit *Sie* anfängt.**

Beginnen Sie die Sätze mit dem jeweils schwarz gedruckten Wort.

Eine Freundin meiner Mutter

Sie mag gern Tiere. Sie mag **allerdings** nur kleine Tiere.
Sie freut sich **außerdem** über Besuch.
Sie kocht **aber** nicht gern.
Sie lädt ihre Freunde **nachmittags** oft zu Kaffee und Kuchen ein.
Sie interessiert sich **trotz ihres Alters** noch für viele Dinge.
Sie ist **deshalb** eine unterhaltsame Gesprächspartnerin.

Sie mag gern Tiere, allerdings nur kleine. Außerdem freut sie sich über Besuch.

2 **Graduieren Sie die Aussagen mit folgenden Adverbien:**

äußerst – besonders – ganz – recht – unglaublich – ziemlich

Beispiel: *Sie mag unglaublich gern Tiere.*

3 **Beschreiben Sie eine Person, die Sie gut kennen.**

Schreiben Sie fünf bis sechs Sätze auf eine Karte. Sagen Sie etwas über:

- a Aussehen
- b Charakter
- c Vorlieben und Schwächen
- d Ihre Meinung zu der Person

Denken Sie bitte daran, dass die Sätze gut aneinander anschließen. Verwenden Sie auch Wörter wie *aber – allerdings – doch – außerdem – deshalb – leider.*

4 **Lesen Sie Ihre Personenkarten in Gruppen zu viert vor.**

Klären Sie alle unbekannten Wörter.

5 **Spiel: Bücher verschenken**

Ziel des Spieles ist es, gute Gründe zu nennen, warum sich ein bestimmter Buchtitel besonders gut als Geschenk für eine bestimmte Person eignet. Dazu sind Fantasie und Überzeugungskraft nötig, denn der Würfel führt einen Spieler ganz zufällig auf ein bestimmtes Buch. Sie spielen zu viert. Sie brauchen das Spielfeld rechts, 4 Spielfiguren, 1 Würfel, 8 Personenkarten. (Verwenden Sie die in Aufgabe 3 geschriebenen Karten und die Karten aus Aufgabe 6, Seite 17.)

Spielregeln

Mischen Sie die Personenkarten.
Jeder Spieler erhält eine Spielfigur und zwei Personenkarten.
Das jüngste Gruppenmitglied würfelt zuerst. Würfelt sie/er zum Beispiel eine Sechs, dann darf sie/er mit der Spielfigur sechs Felder auf dem Spielfeld vorgehen. Jetzt wählt der Spieler aus seinen Personenkarten die Person aus, von der er glaubt, dass sie sich für das getroffene Buch interessieren könnte. Er liest den Mitspielern die Personenbeschreibung vor und erklärt, warum gerade dieses Buch das richtige Geschenk für diese Person ist. Sind die Mitspieler überzeugt, darf die Karte abgelegt werden. Sind die Mitspieler nicht überzeugt, gilt das Buch als nicht verschenkt. Der Spieler zur Rechten würfelt und versucht, eine seiner Personen zu beschenken.

Sieger ist, wer zuerst für seine beiden Personen ein Geschenk gefunden hat.

Das Buch wird ihr/ihm sicher gefallen, weil ...
Sie/Er hat ganz bestimmt Freude an diesem Buch, denn ...
Mit Sicherheit mag sie/er dieses Buch, weil ...
Ich bin ganz sicher, dass ihr/ihm dieses Buch gefallen wird, weil ...

AB 14

Start

1
Literaturwissen
Franz Kafka
Reclam

2
Walter Vogel
Das Café

3
Abends nach 8
Lektüre für die Nacht
Reclam

4
Stefan Kunze
Mozarts Opern
Reclam

5
Knaur
Hans Herbert von Arnim
Das System
Die Machenschaften der Macht

6
Stéphane Roussel
Berliner Novellen
Rowohlt

7
Sabine Alt
Kinder des Wassers
Kriminalroman
Reclam Leipzig

8
Annette Döbrich
thriller
Am Abgrund der Träume
rororo

9
Eric-Emmanuel Schmitt
Monsieur Ibrahim und die Blumen des Koran
Meridiane · Ammann

10
Streifzüge durch die Jahrhunderte
Ein historisches Lesebuch
Beck'sche Reihe

11
Reclams Lexikon des deutschen Films

12
Manfred Brauneck (Hg.)
Autorenlexikon deutschsprachiger Literatur des 20. Jahrhunderts
rororo

Ziel

LESEN 2

1 Was gehört in Ihrem Heimatland zu einem hohen Lebensstandard?

hoher Lebensstandard bei uns	gutes Leben im Gedicht
ein Haus mit Swimmingpool	Villa im Grünen

AB 14 20

2 Lesen Sie das Gedicht und ergänzen Sie die Stichworte im Kasten oben.

Das Ideal

Ja, das möchste:
Eine Villa im Grünen mit großer Terrasse,
vorn die Ostsee, hinten die Friedrichstraße;
mit schöner Aussicht, ländlich-mondän,
5 vom Badezimmer ist die Zugspitze zu sehn –
aber abends zum Kino hast du's nicht weit.
Das Ganze schlicht, voller Bescheidenheit:

Neun Zimmer, – nein, doch lieber zehn!
Ein Dachgarten, wo die Eichen drauf stehn,
10 Radio, Zentralheizung, Vakuum,
eine Dienerschaft, gut gezogen und stumm,
eine süße Frau voller Rasse und Verve –
(und eine fürs Wochenend, zur Reserve) –,
eine Bibliothek und drumherum
15 Einsamkeit und Hummelgesumm.

Im Stall: Zwei Ponys, vier Vollbluthengste,
acht Autos, Motorrad – alles lenkste
natürlich selber – das wär' ja gelacht!
Und zwischendurch gehst du auf Hochwildjagd.

20 Ja, und das hab' ich ganz vergessen:
Prima Küche – bestes Essen –
alte Weine aus schönem Pokal –
und egalweg bleibst du dünn wie ein Aal.
Und Geld. Und an Schmuck eine richtige Portion.
25 Und noch 'ne Million und noch 'ne Million.
Und Reisen. Und fröhliche Lebensbuntheit.
Und famose Kinder. Und ewige Gesundheit.

Ja, das möchste!
Aber wie das so ist hienieden:
30 manchmal scheint's so, als sei es beschieden
nur pöapö, das irdische Glück,
Immer fehlt dir irgendein Stück.
Hast du Geld, dann hast du nicht Käten;
Hast du die Frau, dann fehl'n dir Moneten –
35 hast du die Geisha, dann stört dich der Fächer:
bald fehlt uns der Wein, bald fehlt uns der Becher.
Etwas ist immer.

Tröste dich.
Jedes Glück hat einen kleinen Stich.
40 Wir möchten so viel: Haben. Sein. Und gelten.
Dass einer alles hat: das ist selten.

Kurt Tucholsky (1927)

möchste: ***möchtest du***
Friedrichstraße: *Straße im Zentrum Berlins*
mondän: *elegant, weltstädtisch*
die Zugspitze: *höchster Berg in den Bayerischen Alpen*
das Vakuum: *hier: Staubsauger (veraltet)*
die Dienerschaft: *Hauspersonal, z.B. Putzfrau, Köchin*
gut gezogen: *gehorsam, treu*
die Verve *(französisch): Begeisterung, Schwung*
die Hummel: *Insekt, fliegt im Sommer summend zu Blüten*
der Hengst: *männliches Pferd*
das Vollblut: *Pferd aus reiner Zucht*
das Hochwild: *z.B. Elch, Hirsch*
der Pokal: *kostbares Glas, Trinkgefäß*
der Aal: *langer, schlangenförmiger Fisch*
egalweg: *trotzdem*
famos: *gut, prima*
hienieden: *hier auf der Erde*
beschieden: *zugeteilt*
pöapö *(französisch: peu à peu): in kleinen Schritten*
Käten: *Käthe (Frauenname) im Akkusativ*
die Moneten: *Geld*
die Geisha: *japanische Gesellschafterin*
der Fächer: *zusammenfaltbares Gerät zum Windmachen*

3 Aufgaben zum Gedicht

a) Welche Begriffe passen zu einem Gedicht?

☐ der Absatz ☐ die Linie ☐ der Reim ☐ die Strophe ☐ der Vers ☐ der Vorspann

b) Geben Sie Beispiele für diese Begriffe aus dem Tucholsky-Gedicht.
c) Das Gedicht spricht über Wunsch und Wirklichkeit. Markieren Sie die Grenze im Gedicht.
d) Im Gedicht kommt die Perspektive eines Mannes zum Ausdruck. Woran erkennt man das?

1 **Sehen Sie sich den Text unten kurz an.**

a) Kreuzen Sie vor dem genauen Lesen an, welche Elemente auf den Inhalt vorbereiten.

b) Schreiben Sie daneben, welche Erwartungen Sie daraus ableiten.

Elemente des Textes	meine Erwartung
☒ Bildmaterial, z.B. Fotos	es geht um einen Mann, circa 40 Jahre alt
☐ Bildunterschriften, sogenannte Bildlegenden	
☐ Überschrift	
☐ Layout, d.h. wie sieht der Text aus	

Eigenhändige Vita Kurt Tucholskys

für den Einbürgerungsantrag zur Erlangung der schwedischen Staatsbürgerschaft

Kurt Tucholsky (1890-1935), Journalist, Schriftsteller, Demokrat

Kurt Tucholsky wurde am 9. Januar 1890 als Sohn des Kaufmanns Alex Tucholsky und seiner Ehefrau, Doris, geborene Tucholski [1], in Berlin geboren. Er besuchte Gymnasien in Stettin und in Berlin und bestand im Jahre 1909 die Reifeprüfung. Er studierte in Berlin und in Genf Jura und promovierte im Jahre 1914 in Jena *cum laude* [2] mit einer Arbeit über Hypothekenrecht.

Im April 1915 wurde T. zum Heeresdienst eingezogen; er war dreieinhalb Jahre Soldat (die Papiere über seine Militärzeit liegen bei). Zuletzt ist T. Feldpolizeikommissar bei der Politischen Polizei in Rumänien gewesen.

Nach dem Kriege war T. unter Theodor Wolff, dem Chefredakteur des *Berliner Tageblatt,* Leiter der humoristischen Beilage dieses Blattes, des *Ulk*, vom Dezember 1918 bis zum April 1920. Während der Inflation, als ein schriftstellerischer Verdienst in Deutschland nicht möglich gewesen ist, nahm T. eine Anstellung als Privatsekretär des früheren Finanzministers Hugo Simon an (in der Bank Bett, Simon und Co.).

Im Jahre 1924 ging T. als fester Mitarbeiter der Berliner Wochenschrift *Die Weltbühne* und der *Vossischen Zeitung* nach Paris, wo er sich bis zum Jahre 1929 aufhielt.

Nachdem T. bereits als Tourist längere Sommeraufenthalte in Schweden genommen hatte (1928 in Kivik, Skåne, und fünf Monate im Jahre 1929 bei Mariefred), mietete er im Sommer 1929 eine Villa in Hindås, um sich ständig in Schweden niederzulassen. Er bezog das Haus, das er ab 1. Oktober 1929 gemietet hat, im Januar 1930 und wohnt dort ununterbrochen bis heute. Er hat sich in Schweden schriftstellerisch oder politisch niemals betätigt. Zahlreiche Reisen, die zu seiner Information und zur Behebung eines hartnäckigen Halsleidens dienten, führten ihn nach Frankreich, nach England, nach Österreich und in die Schweiz. Sein fester Wohnsitz ist seit Januar 1930 Hindås gewesen, wo er seinen gesamten Hausstand und seine Bibliothek hat.

T. hat im Jahre 1920 in Berlin Fräulein Dr. med. Else Weil geheiratet; die Ehe ist am 14. Februar 1924 rechtskräftig geschieden. Am 30. August 1924 hat T. Fräulein Mary Gerold geheiratet; die Ehe ist am 21. August 1933 rechtskräftig geschieden. T. hat keine Kinder sowie keine unterstützungsberechtigten Verwandten, die seinen Aufenthalt in Schweden gesetzlich teilen könnten.

[1] Tucholskys Mutter hieß zufällig vor ihrer Heirat auch schon Tucholski.

[2] zweitbeste Note bei einer Promotion

2 Erschließen Sie die Bedeutung unbekannter Wörter

a aus dem Kontext

Versuchen Sie, das unbekannte Wort aus einem anderen Teil im Text – aus dem sogenannten Kontext – zu verstehen.
Sehen Sie sich die Beispiele im Kasten unten an.
Suchen Sie im Text ein weiteres Beispiel.

unbekanntes Wort	Kontext
promovierte	*studierte, Note, Arbeit*

b aus der Wortbildung

Ergänzen Sie die unbekannten Wörter unten ohne Wörterbuch.
Zerlegen Sie dazu jedes Wort in seine Teile.
Suchen Sie im Text weitere Beispiele.

Zeile	unbekanntes Wort	Bedeutung aus der Wortbildung erschlossen
Z. 15/16	eigenhändige	*mit eigener Hand*
Z. 17	Hypothekenrecht	
	Heeresdienst	
	Chefredakteur	
	humoristischen Beilage	
	ununterbrochen	
	zahlreiche	
	unterstützungsberechtigten	

1

3 Ergänzen Sie Informationen aus dem Text.

a Geburtsdatum: ______
b Geburtsort: ______
c Eltern: ______
d Familienstand: ______
e Kinder: ______
f Schulabschluss: ______
g Studienfach: ______
h Studienorte: ______
i Studienabschluss: ______
j Note: ______
k Berufstätigkeit:
1918–1920 ______
1923 (während der Inflationszeit) ______
1924–1929 ______

AB 15 21–22

GR 4 Ergänzen Sie in der Tabelle Adjektive aus dem Text.

GR S. 25/1, 26/6

Adjektiv beim Nomen	Adjektiv beim Verb = Adverb
humoristischen Beilage	*ständig niederzulassen*

GR 5 Wortbildung der Adjektive

Suchen Sie im Text die Adjektive mit einer Nachsilbe und erklären Sie die Wortbildung.

Beispiel	Grundwort	Nachsilbe
humoristisch	*der Humor*	*(ist)isch*

AB 16 23–26

GR 6 Welche Endungen helfen Ihnen, die Bedeutung der Wörter zu verstehen?

ÜG S. 46

Beispiel: *zahlreich*

SCHREIBEN 2

1 **Was ist typisch für die Textsorte *ausführlicher Lebenslauf*?**

Kreuzen Sie jeweils das Richtige an.

	Merkmal	richtig	falsch
a	Er beginnt mit einer Anrede.		X
b	Er beginnt mit der Überschrift „Lebenslauf“.	X	
c	Er ist ein bis zwei Seiten lang.		
d	Er wird in der Ich-Form geschrieben.		
e	Er nennt Namen der Eltern sowie den Geburts- und den Wohnort.		
f	Er beschreibt die berufliche Entwicklung.		
g	Er wird häufig mit der Hand geschrieben.		
h	Er soll sauber und fehlerfrei geschrieben sein.		
i	Er beschreibt den Charakter einer Person.		
j	Er beschreibt das Aussehen einer Person.		
k	Er nennt den Grund für eine Ehescheidung.		
l	Er gibt Auskunft über Schulbildung und Ausbildung.		
m	Er nennt die Namen von Freunden und Bekannten.		
n	Er gibt Auskunft über die finanziellen Verhältnisse.		
o	Er gibt Auskunft über Mitgliedschaften, Tätigkeiten und Interessen außerhalb des Berufes.		
p	Er informiert über Urlaubsreisen.		
q	Er informiert über Auslandsaufenthalte, z.B. für Sprachkurs, Studium usw.		
r	Er nennt am Ende die aktuelle familiäre und berufliche Situation.		
s	Er endet mit Datum und Unterschrift.		
t	Er endet mit einer Grußformel.		

2 **Schreiben Sie Ihren ausführlichen Lebenslauf.**

Schreiben Sie in der *Ich*-Form. Informieren Sie darüber,

- a wo und wann Sie geboren sind,
- b an welchen Orten Sie gelebt haben,
- c wo Sie zur Schule gegangen sind,
- d wann und mit welchem Abschluss Sie die Schule beendet haben,
- e wie Ihr Familienstand ist.

Falls das für Sie zutrifft, schreiben Sie auch,

- f welche Ausbildung Sie nach der Schule gemacht haben,
- g welchen Beruf Sie ausüben,
- h wo Sie beschäftigt waren bzw. sind.

Ich, ..., wurde am ...
in ... geboren.
besuchte die Schule
bestand/machte die Prüfung
begann eine Ausbildung als
schloss meine Ausbildung ab
habe eine Stelle als
arbeite als
bin tätig als

3 **Lesen Sie Ihren Text nach dem Schreiben durch.**

Kontrollieren Sie:

- a Haben Sie alle relevanten Punkte behandelt?
- b Haben Sie einige der angegebenen Redemittel verwendet?

AB 18 27–29

HÖREN 2

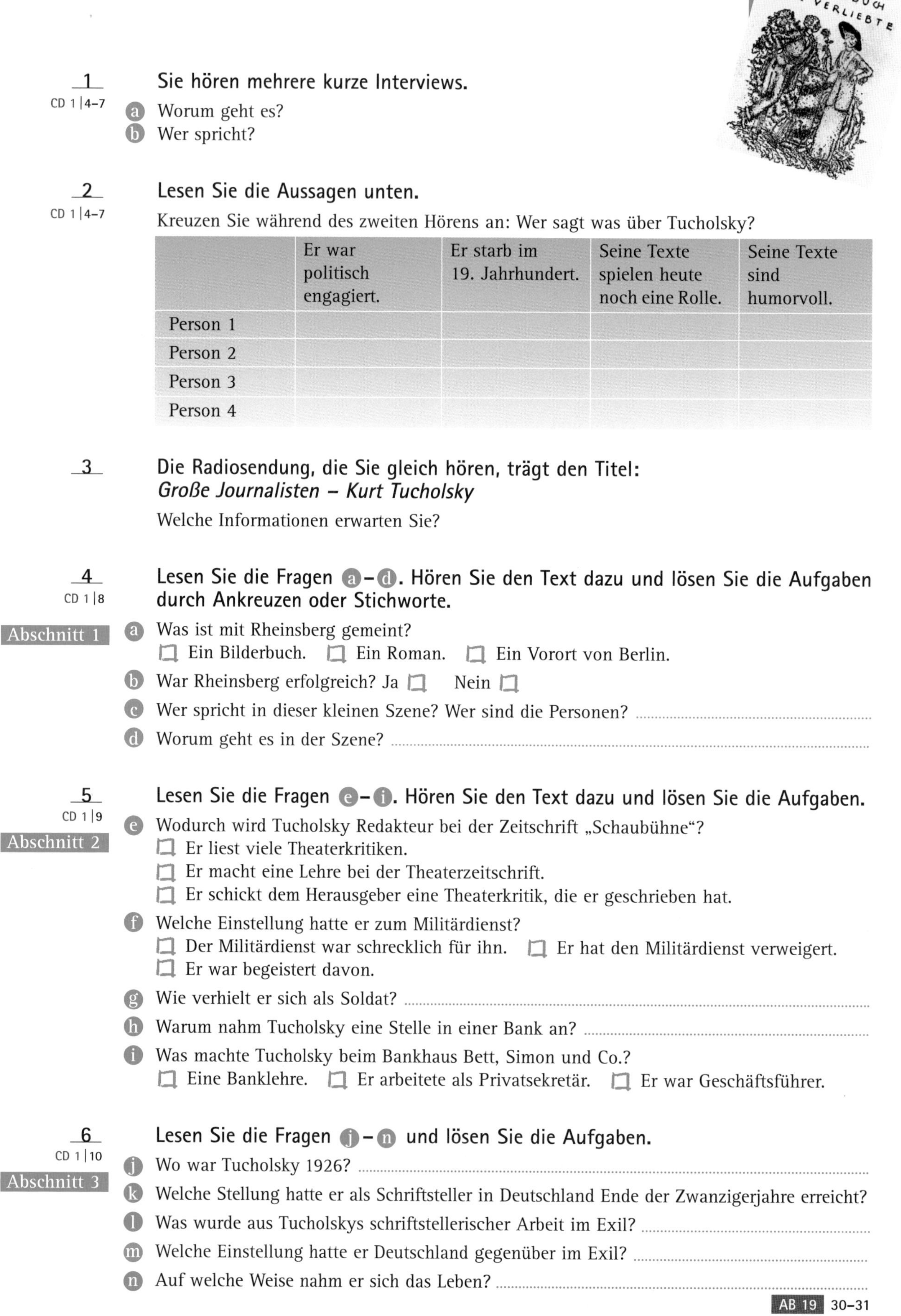

1 CD 1|4–7

Sie hören mehrere kurze Interviews.

(a) Worum geht es?
(b) Wer spricht?

2 CD 1|4–7

Lesen Sie die Aussagen unten.

Kreuzen Sie während des zweiten Hörens an: Wer sagt was über Tucholsky?

	Er war politisch engagiert.	Er starb im 19. Jahrhundert.	Seine Texte spielen heute noch eine Rolle.	Seine Texte sind humorvoll.
Person 1				
Person 2				
Person 3				
Person 4				

3

Die Radiosendung, die Sie gleich hören, trägt den Titel:
Große Journalisten – Kurt Tucholsky

Welche Informationen erwarten Sie?

1

4 CD 1|8

Lesen Sie die Fragen (a)–(d). Hören Sie den Text dazu und lösen Sie die Aufgaben durch Ankreuzen oder Stichworte.

Abschnitt 1

(a) Was ist mit Rheinsberg gemeint?
☐ Ein Bilderbuch. ☐ Ein Roman. ☐ Ein Vorort von Berlin.
(b) War Rheinsberg erfolgreich? Ja ☐ Nein ☐
(c) Wer spricht in dieser kleinen Szene? Wer sind die Personen? ....
(d) Worum geht es in der Szene? ....

5 CD 1|9

Lesen Sie die Fragen (e)–(i). Hören Sie den Text dazu und lösen Sie die Aufgaben.

Abschnitt 2

(e) Wodurch wird Tucholsky Redakteur bei der Zeitschrift „Schaubühne"?
☐ Er liest viele Theaterkritiken.
☐ Er macht eine Lehre bei der Theaterzeitschrift.
☐ Er schickt dem Herausgeber eine Theaterkritik, die er geschrieben hat.
(f) Welche Einstellung hatte er zum Militärdienst?
☐ Der Militärdienst war schrecklich für ihn. ☐ Er hat den Militärdienst verweigert.
☐ Er war begeistert davon.
(g) Wie verhielt er sich als Soldat? ....
(h) Warum nahm Tucholsky eine Stelle in einer Bank an? ....
(i) Was machte Tucholsky beim Bankhaus Bett, Simon und Co.?
☐ Eine Banklehre. ☐ Er arbeitete als Privatsekretär. ☐ Er war Geschäftsführer.

6 CD 1|10

Lesen Sie die Fragen (j)–(n) und lösen Sie die Aufgaben.

Abschnitt 3

(j) Wo war Tucholsky 1926? ....
(k) Welche Stellung hatte er als Schriftsteller in Deutschland Ende der Zwanzigerjahre erreicht?
(l) Was wurde aus Tucholskys schriftstellerischer Arbeit im Exil? ....
(m) Welche Einstellung hatte er Deutschland gegenüber im Exil? ....
(n) Auf welche Weise nahm er sich das Leben? ....

AB 19 30–31

1 Stellung der Adjektive im Satz

ⓐ vor dem Nomen – attributiv: mit Endung
Beispiel: *ein erfolgreicher Schriftsteller*

ⓑ am Satzende – prädikativ: ohne Endung
Beispiel: *Der Schriftsteller war erfolgreich.*

Viele dieser Ausdrücke können als Adjektiv und als Adverb verwendet werden:

der ständige Anstieg (Adjektiv)
die ständig steigende Zahl (Adverb)
Die Zahl steigt ständig. (Adverb)

2 Adjektivendungen

ÜG S. 30–35

	Singular			Plural
	maskulin	neutrum	feminin	
NOM	der Mann starker Mann der starke Mann ein starker Mann	das Ziel neues Ziel das neue Ziel ein neues Ziel	die Gesellschaft gute Gesellschaft die gute Gesellschaft eine gute Gesellschaft	die Ziele neue Ziele die neuen Ziele neue Ziele
AKK	den Mann starken Mann den starken Mann einen starken Mann			
DAT	dem Mann starkem Mann dem starken Mann einem starken Mann	dem Ziel neuem Ziel dem neuen Ziel einem neuen Ziel	der Gesellschaft guter Gesellschaft der guten Gesellschaft einer guten Gesellschaft	den Zielen neuen Zielen den neuen Zielen neuen Zielen
GEN	des Mannes starken Mannes des starken Mannes eines starken Mannes	des Ziels neuen Ziels des neuen Ziels eines neuen Ziels	der Gesellschaft guter Gesellschaft der guten Gesellschaft einer guten Gesellschaft	der Ziele neuer Ziele der neuen Ziele neuer Ziele

3 Signale in der Nomengruppe mit Adjektiv

In einer Nomengruppe sind Nomen, Artikel und Adjektiv in Numerus, Genus und Kasus aufeinander abgestimmt. Trägt der Artikel das Kasus-Signal, nimmt das Adjektiv die Endung -e oder -en.
Beim Genitiv Singular maskulin und neutrum ohne Artikel trägt das Adjektiv kein Kasus-Signal. Hier trägt das Nomen -s als eindeutiges Kasus-Signal.

4 Indefinitpronomen und substantiviertes Adjektiv

irgendetwas Neues
nichts Genaues

5 Adjektive und Partizipien mit festen Präpositionen

a Präpositionen mit Dativ

an	bei	in	mit	von	zu
arm	angesehen	gut	befreundet	(un)abhängig	bereit
interessiert	(un)beliebt	(un)erfahren	beschäftigt	entfernt	entschlossen
schuld			einverstanden	enttäuscht	(un)fähig
			verheiratet	überzeugt	nett

b Präpositionen mit Akkusativ

an	auf	für	in	über
adressiert	angewiesen	bekannt	unterteilt	beunruhigt
gewöhnt	eifersüchtig	charakteristisch	verliebt	erfreut
	gespannt	dankbar		erstaunt
	neugierig	entscheidend		(un)glücklich
				traurig

6 Wortbildung des Adjektivs

ÜG S. 46

a Ableitung: Bildung von Adjektiven aus Nomen und Verben durch Nachsilben

Nachsilben	Beispiel	Nachsilben	Beispiel
-lich	*ordentlich*	-abel	*praktikabel*
	schriftlich	-ant	*arrogant*
	menschlich	-ent	*intelligent*
-isch	*altmodisch*	-ibel	*sensibel*
	chronisch	-ell	*manuell*
	griechisch, lateinisch	-iell	*potenziell*
-bar	*spürbar*	-iv	*depressiv*
-ig	*notwendig*	-ös	*nervös*

b Zusammensetzung: zwei oder mehr Wörter bilden ein neues Adjektiv

hell + grau > hellgrau	Adjektiv + Adjektiv
lernen + willig > lernwillig	Verb + Adjektiv
die Anpassung + fähig > anpassungsfähig der Alkohol + frei > alkoholfrei	Nomen + Adjektiv

c Verstärkung durch Zusammensetzung

	Beispiel		Beispiel
top	topaktuell	hoch	hochmodern

d Negation: Bedeutungsänderung durch Vor- oder Nachsilben

Vorsilbe	Beispiel	Vor-/Nachsilbe	Beispiel
a-	atypisch	miss-	missverständlich
de-/des-/dis-	desillusioniert	non-	nonverbal
il-	illegitim	un-	unfähig
in-	instabil	-los	hilflos
ir-	irreal		

7 Graduierung des Adjektivs

ÜG S. 40

Verstärkung	Verstärkung einer Negation	Abschwächung
unheimlich lustig	überhaupt nicht	recht jugendlich

SPRACHE

2

1 **Beschreiben Sie das Foto.**

Beantworten Sie zunächst die sogenannten
W-Fragen: Wer? Wo? Was?
Welche Wirkung hat dieses Foto auf Sie? Warum?

Ich fühle mich von dem Bild (nicht) angesprochen, weil …
Das Bild lässt mich (nicht) kalt, weil …
Das Bild bringt mich zum Lachen/Schmunzeln, weil …
Das Bild erinnert mich daran, …

2 **Was kann ein Baby wann?**
Markieren Sie die richtige Reihenfolge.

Alter in Monaten (Durchschnitt)	Meilensteine frühen Sprechens
3	erstes Wort nach *Mama/Papa*
14	kurze Gespräche
17	gebraucht *Mama/Papa* richtig
23	richtiger Gebrauch von *ich*
34	spricht Sätze aus zwei Wörtern
36	antwortet mit Lauten

AB 24 2–3

SPRECHEN 1

1 Sehen Sie sich die Zeichnungen an und ordnen Sie jedem Bild einen dieser Titel zu.

- (a) der haptische Lerner
- (b) der audio-visuelle Lerner
- (c) der kommunikative Lerner
- (d) der kognitive Lerner

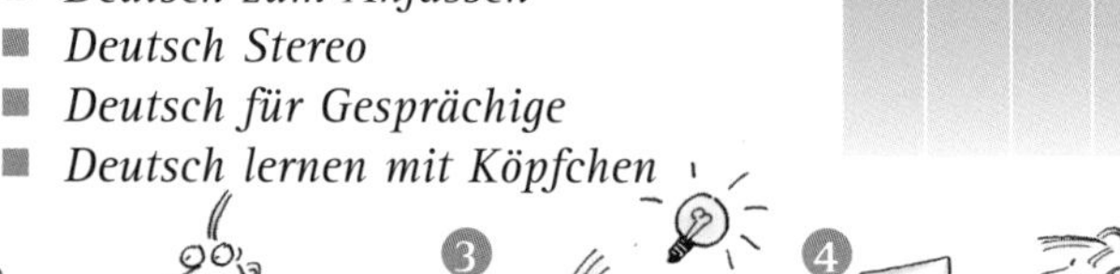

- *Deutsch zum Anfassen*
- *Deutsch Stereo*
- *Deutsch für Gesprächige*
- *Deutsch lernen mit Köpfchen*

1	2	3	4

1  

2 

3 

4 

2 Unterhalten Sie sich zu viert und diskutieren Sie anschließend in der Klasse.

- (a) Wie viele Fremdsprachen sollte man beherrschen?
- (b) Welches ist für Sie die beste Methode, eine Sprache zu lernen? Zum Beispiel durch Lesen, durch Auswendiglernen, durch Kontakt mit Muttersprachlern etc.

3 Machen Sie eine Umfrage in der Klasse.

Stellen Sie fest,

- (a) welche Muttersprachen gesprochen werden.
- (b) welche Fremdsprachen gesprochen werden.
- (c) wie viele *eine* Fremdsprache sprechen.
- (d) wie viele *zwei* Fremdsprachen sprechen.
- (e) wie viele *mehr* als *zwei* Fremdsprachen sprechen.

Muttersprachen	Fremdsprachen	Zahl der Fremdsprachen		
		eine	zwei	drei
Spanisch	Deutsch			

4 Stimmen Sie den folgenden Aussagen zu?

Kreuzen Sie an und diskutieren Sie anschließend die Ergebnisse in Ihrer Klasse.

		ja	nein
(a)	Ich möchte immer korrigiert werden, wenn ich einen Fehler mache.	☐	☐
(b)	Ich spreche nicht gern vor der Klasse, weil ich Angst habe, Fehler zu machen.	☐	☐
(c)	Die Grammatik lernt man auch, wenn man viel Deutsch hört und spricht.	☐	☐
(d)	Um die Fremdsprache zu lernen, muss man vor allem Grammatik studieren.	☐	☐
(e)	Auswendiglernen ist für mich eine gute Methode, mir etwas zu merken.	☐	☐
(f)	Beim Lesen und Hören ist es wichtig, jedes Wort zu verstehen.	☐	☐
(g)	Ich spreche mehr Deutsch, wenn ich mit einer Partnerin/einem Partner oder in einer Gruppe arbeite.	☐	☐
(h)	Gruppenarbeit mag ich nicht, weil ich da so viel falsches Deutsch höre.	☐	☐

5 Ergebnisse der Diskussion festhalten

Formulieren Sie nun einige Tipps für Ihren Sprachkurs und hängen Sie diese als Poster in Ihrem Klassenzimmer auf.
Beispiel: *Beim Lesen und Hören ist es nicht wirklich wichtig, jedes Wort zu verstehen.*

1 **Sehen Sie sich den Lesetext an.**
Lesen Sie zuerst nur die Überschrift und den fett gedruckten Absatz. Worum geht es in dem Text?

Fremdsprachen lernen für Europa – ja, aber wie?

Ob auf Urlaubsreisen oder beim Surfen im Internet – wer Fremdsprachen spricht, kommt schneller an sein Ziel. Und wer beruflich etwas erreichen will, kann auf Fremdsprachen nicht verzichten. Vom künftigen Idealbürger Europas wird sogar erwartet, dass er sich in mindestens zwei Fremdsprachen unterhalten kann. Die Frage, wie man möglichst effektiv Fremdsprachen lernt, wird damit immer wichtiger. Experten haben inzwischen recht genau untersucht, was beim Sprachenlernen tatsächlich geschieht.

In der Europäischen Union arbeiten Millionen Menschen außerhalb ihrer Heimatländer. Mehr als 15 Millionen Menschen mit Migrationshintergrund leben dauerhaft in Deutschland. Das Erlernen der deutschen Sprache ist für sie der Schlüssel zur Integration in ihrer neuen Umgebung. Ohne jeden Unterricht haben die meisten von ihnen sich die Sprache dieser Umgebung angeeignet. An ihnen haben Linguisten beobachtet, was bei dem Vorgang des natürlichen Lernens ohne systematischen Sprachunterricht, dem sogenannten „ungesteuerten Fremdsprachenerwerb", passiert. Die vergleichenden Untersuchungen, die Forscher des Max-Planck-Instituts für Psycholinguistik in sechs europäischen Ländern durchgeführt haben, zeigen, dass drei Faktoren für das erfolgreiche Erlernen einer Sprache wichtig sind: die Lernmotivation, das eigene Sprachtalent und der Zugang, den man zu der fremden Sprache hat.

Die Forscher fanden heraus, dass sich die Ausländer die neue Sprache rasch nach dem gleichen typischen Muster aneigneten: Zuerst lernten sie wichtige Nomen und Verben sowie die Personalpronomen *ich* und *du*. Endungen ließen sie weg. In einer zweiten Stufe folgten Modalverben wie *müssen* und *können* und schließlich die Hilfsverben *haben* und *sein*. Dieser Lernprozess vollzieht sich innerhalb der ersten zwei Jahre. Danach konnten sich die untersuchten Personen meist nicht weiter sprachlich verbessern. Ihre Sprache „fossilierte", d.h. sie blieb auf dem erreichten Niveau stehen.

Ganz anders ist dagegen die Situation bei den Kindern dieser Einwanderer. Diejenigen, die ihre Muttersprache bereits beherrschten, lernten die Zweitsprache schneller und besser als ihre Eltern. Sie wachsen kontinuierlich in die fremdsprachliche Umgebung hinein. Aufgrund ihres ausgeprägten Spieltriebes fällt es ihnen leicht, die Freunde sprachlich zu imitieren. Ihre Angst vor Fehlern ist geringer als bei Erwachsenen. Zu diesen psychosozialen Aspekten kommt ein biologischer Faktor hinzu: Bis zum 12. Lebensjahr nimmt man Fremdsprachen besonders leicht auf, da das Gehirn bis dahin relativ leicht neue Nervenverbindungen ausbildet. Auch das phonetische Repertoire ist noch offen und formbar; daher sprechen Kinder die zweite Sprache meist akzentfrei.

Erwachsene Lerner erfassen die komplexen Strukturen einer Sprache nicht mehr spontan durch einfaches Nachahmen. Während Kinder eher assoziativ lernen und mehr auf Wortklänge reagieren, gehen Erwachsene eher analytisch vor. Sie vergleichen die Fremdsprache mit den Strukturen ihrer Muttersprache, übersetzen und suchen bewusst nach Regeln.

Ein weiterer Unterschied betrifft das Aufschreiben des Gehörten. Für Erwachsene ist es eine große Erinnerungshilfe, wenn sie sich Dinge notieren können. Tests haben gezeigt, dass man sich bei gehörten Informationen an 10 Prozent erinnert, bei gelesenen an 30 Prozent und bei solchen, die mit aktivem Verhalten – zum Beispiel in Form des Aufschreibens oder des darüber Sprechens – verbunden sind, an 90 Prozent.

Konsequenz für das Fremdsprachenlernen: Es ist zu empfehlen, eine neue Sprache mehrere Wochen lang im Land selbst zu lernen. Für diejenigen, die sich das nicht leisten können, bleibt ein Trost: Auch im heimischen Sprachkurs kann man einiges unternehmen, um in der Fremdsprache aktiv zu sein: Diskussionen führen, Projekte bearbeiten sind nur zwei der zahlreichen Möglichkeiten. Dem Ideenreichtum von Lernern und Lehrern sind keine Grenzen gesetzt.

P 2 **Hauptaussagen**

Lesen Sie den Text auf der vorhergehenden Seite. Entscheiden Sie, welche der Antworten a, b oder c passt.

1 **Was versteht man unter *ungesteuertem Fremdsprachenerwerb?***
- a Lernen durch Unterricht mit freien Methoden.
- b Lernen ohne Lehrer, aber mit elektronischem oder anderem Material.
- c Lernen ohne formalen Unterricht.

2 **Welche persönlichen Faktoren spielen für den Lernerfolg eine Rolle?**
- a Das Geschlecht.
- b Die Begabung und die Lust zu lernen.
- c Die Muttersprache.

3 **Wie sieht der ungesteuerte Spracherwerb normalerweise aus?**
- a Die wichtigsten einzelnen Wörter werden zuerst gelernt.
- b Man lernt zuerst wichtige Sätze und Phrasen.
- c Man kann nach zwei Jahren an Gesprächen teilnehmen.

4 **Warum lernen Kinder von Migranten besser und schneller als ihre Eltern?**
- a Sie haben mehr Zeit als ihre Eltern.
- b Sie haben keine Probleme damit, etwas Falsches zu sagen.
- c Sie haben mehr Spaß am Lernen.

5 **Wie lernen Erwachsene im Unterschied zu Kindern?**
- a Vor allem durch Hören und Nachsprechen.
- b Sie lernen Wörter anders als Kinder.
- c Sie brauchen Regeln.

6 **Wie sollte man als Erwachsener eine fremde Sprache erlernen?**
- a Mit einem Sprachkurs im Heimatland.
- b Mit einem Sprachkurs im Zielsprachenland.
- c Indem man mehrere Wochen durch das Zielsprachenland reist.

2

GR 3 **Verben**

GR S. 39–40

Arbeiten Sie in Gruppen.

a Unterstreichen Sie im Text (Zeile 1 bis Zeile 65) die Verben und ordnen Sie sie in das Schema ein.

Verben + Kasusergänzung			Verben + Präpositionalergänzung		
erreichen	+ Akk.	wen?/was?	verzichten auf	+ Akk.	wen?/was?
leichtfallen	+ Dat.	wem?	sprechen über	+ Akk.	wen?/was?

b Unterstreichen Sie im Text ab Zeile 37 Verben, die mit nicht trennbaren Vorsilben gebildet sind, und ordnen Sie sie ein.

AB 25 4–5

be-	emp-	er-	unter-	ver-
beherrschen				

AB 26 6–10

c Unterstreichen Sie im gesamten Text Verben, die mit trennbaren Vorsilben gebildet sind, und ordnen Sie sie ein.

an-	auf-	aus-	durch-	weg-
sich aneignen				

AB 27 11

GR 4 **Bedeutungsvarianten**

Wie lauten die Grundverben in Aufgabe 3 b und c? Wodurch wird die Bedeutung des Grundverbs mehr variiert, durch die nicht trennbare oder durch die trennbare Vorsilbe?
Geben Sie zwei Beispiele.

AB 28 12–16

HÖREN

1 **In welchen Ländern ist Deutsch Landes- und Amtssprache?**

2 **Fachausdrücke**

Erklären Sie folgende Begriffe.

Begriff	Erklärung
die Amtssprache	Sprache, die in offiziellen Dokumenten verwendet wird
die Hochsprache	
die Umgangssprache	
der Dialekt	

3 **Sehen Sie sich die Karte an.**

Markieren Sie, in welchem Teil der Schweiz wohl Deutsch gesprochen wird.

ZÜRICH
FRIBOURG
LAUSANNE
GENEVE
Tessin
LUGANO
Graubünden

AB 30 17

4 CD 1 | 11 **Themen erkennen**

Sie hören ein Interview. Sammeln Sie nach dem ersten Hören in der Klasse die Themen, die angesprochen werden.
Beispiel: Schriftsprache und Dialekte

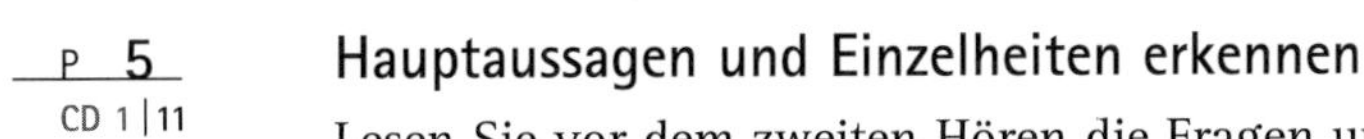

P 5 CD 1 | 11 **Hauptaussagen und Einzelheiten erkennen**

Lesen Sie vor dem zweiten Hören die Fragen unten. Kreuzen Sie während des Hörens oder danach die richtige Antwort a, b oder c an.

Beispiel: Wie viele offizielle Landessprachen gibt es in der Schweiz?
- a Drei: Deutsch und zwei andere Sprachen.
- b Vier: Deutsch und drei andere Sprachen.
- c Zwei: Deutsch und Französisch.

1 Welche Sprache spricht Michelle zu Hause?
- a Eine der Schweizer Amtssprachen.
- b Einen Dialekt.
- c Hochdeutsch.

2 Wie empfinden die Schweizer Hochdeutsch?
- a Als eine Umgangssprache.
- b Als Fremdsprache.
- c Als unangenehm.

3 Welche Fremdsprachen lernen Schweizer in der Schule?
In der
- a deutschen Schweiz lernen alle Französisch.
- b französischen Schweiz lernen alle Schüler Deutsch und Italienisch.
- c italienischsprachigen Schweiz lernen die Schüler meist Französisch.

4 Ab welcher Klassenstufe lernte Michelle die erste Fremdsprache?
- a Hochdeutsch lernt man bereits im Kindergarten.
- b Ab der siebten Klasse.
- c Eine andere Landessprache ab der vierten Klasse.

5 In welchen Sprachen sendet das schweizerische Fernsehen?
- a Alle Sendungen werden in den vier Amtssprachen gesendet.
- b Die drei großen Sprachregionen haben eigene Sender in ihrer Sprache.
- c Es gibt ein Schweizer Fernsehen. Darin hat jede Sprache eigene Sendeplätze.

6 Welche Bedeutung hat der sogenannte Röstigraben?
- a Er ist ein schweizerisches Nationalgericht.
- b Er ist ein Tal in der deutschsprachigen Schweiz.
- c Er trennt die deutschsprachige und die französischsprachige Schweiz.

6 **Berichten Sie kurz über die Sprachen in Ihrem Heimatland.**

Verwenden Sie dazu die Begriffe aus Aufgabe 2.

AB 30 18–20

WORTSCHATZ

1 Erinnerungstechnik

a Die Klasse teilt sich in zwei Gruppen. Die eine Hälfte der Klasse sieht sich die 16 Wörter unten an und versucht sie sich zu merken, die andere Hälfte der Klasse schließt das Buch und versucht die 16 Wörter im Arbeitsbuch im Kopf zu behalten. Alle haben dafür 30 Sekunden Zeit. Dann werden die Bücher geschlossen, und alle notieren auf einem Blatt Papier möglichst viele dieser Wörter.

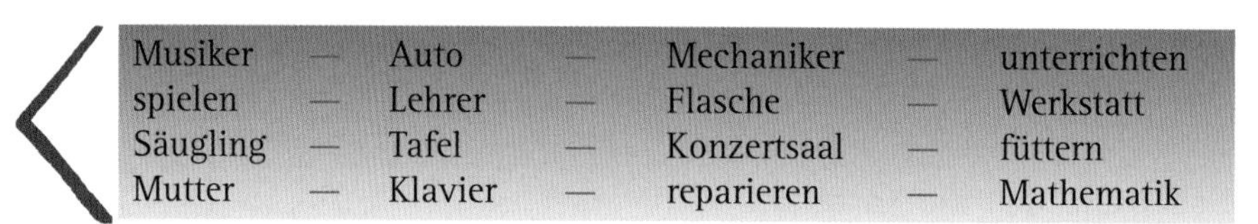

Musiker	—	Auto	—	Mechaniker	—	unterrichten
spielen	—	Lehrer	—	Flasche	—	Werkstatt
Säugling	—	Tafel	—	Konzertsaal	—	füttern
Mutter	—	Klavier	—	reparieren	—	Mathematik

AB 32 21

b Vergleichen Sie und diskutieren Sie anschließend.

- Wie viele Wörter haben Sie notiert? Sind alle richtig?
- Wie haben Sie sich die Wörter gemerkt?
- An wie viele Wörter hat sich die Gruppe „Kursbuch" im Durchschnitt erinnert, an wie viele die Gruppe „Arbeitsbuch"? Gibt es Unterschiede?

c Die Gruppen hatten die gleichen Wörter, allerdings in unterschiedlicher Anordnung. Vergleichen Sie die Anordnungen. Was fällt Ihnen dabei auf? Was bedeuten diese Ergebnisse für das Lernen von Wörtern?

2 Die Vokabelkartei

Mit einer Vokabelkartei können Sie neue Wörter auf vielfältige Weise üben, wiederholen, im Sinnzusammenhang lernen, nach Belieben ordnen, die Ordnung umstrukturieren usw.

a Was schreiben Sie auf eine Karteikarte?

Rückseite: Übersetzung in der Muttersprache

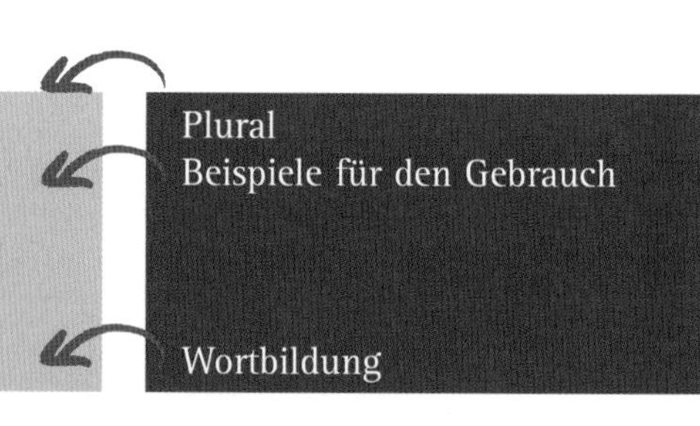

b Erstellen Sie zu zweit Karteikarten zu jeweils zwei der folgenden Wörter.

beibringen	das Muster	ausgeprägt
verlangen	die Vereinbarung	künftig
stottern	die Unterbringung	überzeugt

3 Wortfelder erarbeiten

Dabei suchen Sie zu einem Wort passende andere Begriffe und schließlich einen gemeinsamen Oberbegriff. Arbeiten Sie zu zweit.

Oberbegriff	Unterrichtsmaterial	Pflanzen		
Beispiel	Lehrbuch		Hotel	Waschmaschine
passende Begriffe	Kassetten Arbeitsbuch Wörterbuch Stifte			

SCHREIBEN 1

1 Lesen Sie die folgende Anzeige aus einer Tageszeitung.

Sprachtraining für Erwachsene,
Vorsprung mit Fremdsprachen:
Berufsspezifische Einzel-, Crash- und Hochintensivkurse für Fach- und Führungskräfte.
Intensiv- und Ferienkurse weltweit.
Anerkannt als Bildungsurlaub.

Erwachsenen-Programm
Der Weg zum Erfolg!

Bitte fordern Sie unsere ausführlichen Unterlagen an:
ABC-Sprachreisen · Fürstenstr. 13 · 70913 Stuttgart
Tel. 0711/94 06 78 · Fax 0711/94 06 799

2 Formeller Brief

Sie interessieren sich für eine Sprachreise und schreiben eine Anfrage an *ABC-Sprachreisen.* Dazu finden Sie unten einige Sätze. Markieren Sie, welche der folgenden Textbausteine (a, b oder c) Sie für Ihren Brief verwenden können. Es passt immer nur ein Satz.

Anrede
- a Hallo,
- b Liebe Frau ...,
- c Sehr geehrte Damen und Herren,

Worum geht es?
- a ich danke Ihnen für Ihr Interesse an Sprachreisen.
- b ich habe gerade Ihre Anzeige in der Zeitung gelesen.
- c ich freue mich, dass Sie mir so ein günstiges Angebot machen können.

Was will ich?
- a Ich interessiere mich für einen Deutschkurs für Erwachsene. Als Zusatzangebot wünsche ich mir ein abwechslungsreiches Sportprogramm (möglichst Segeln oder Reiten).
- b Ich bin 21 Jahre alt und kann schon ziemlich gut Deutsch. Meine Hobbys sind Segeln und Reiten.
- c Können Sie mir bitte mitteilen, ob Sie auch Kurse für Erwachsene haben, wo man auch reiten oder segeln oder Ähnliches kann.

Was muss passieren?
- a Ich würde mich freuen, wenn Sie Interesse an meinem Angebot hätten, und verbleibe ...
- b Bitte schicken Sie mir Ihren Katalog an die oben angegebene Adresse.
- c Ich hoffe, Sie können mir ein günstiges Angebot machen.

Gruß
- a Alles Liebe
- b Hochachtungsvoll
- c Mit freundlichen Grüßen

3 Notieren Sie in der Übersicht, aus welchem Grund die beiden anderen Sätze für Ihren Brief nicht passen.

passt sprachlich nicht	Begründung
a Hallo	Bei einem offiziellen Brief wählt man eine höfliche, distanzierte Anrede.

passt inhaltlich nicht	Begründung
a ich danke ...	In einer Anfrage will man etwas bekommen, man bedankt sich nicht.

4 Lesen Sie Ihren Brief in der Klasse vor.

AB 32 22–24

SCHREIBEN 2

1 **Umfrage**

Wie wichtig sind nach Ihrer Meinung Fremdsprachenkenntnisse für beruflichen Erfolg?

2 **Überfliegen Sie die beiden Beispiele aus einer Zeitschrift.**

Antonia Dreher 29 Jahre
Lebt momentan in Paris, hat an einer Elite-Universität eine befristete Stelle und ist zuständig für die deutsch-französischen Beziehungen. Ihr Lebenslauf enthält neben vielem anderen ein Praktikum beim französischen Kulturministerium. Außer den beinahe obligatorischen Fremdsprachen Englisch und Französisch hat Antonia Italienisch und Niederländisch gelernt. Sie hat einen Doppelstudiengang mit zwei Abschlüssen im Hauptfach Geschichte absolviert, abwechselnd in Tübingen und im französischen Aix-en-Provence.

Stefan Westhof 26 Jahre
Nach dem Abitur fuhr er in die indonesische Provinz Ost-Kalimantan. Zurück in Deutschland begann er das Studium der Austronesik, ein Fach, das die über 1100 Sprachen und Kulturen der Inseln Südostasiens und der Südsee vereint. Ein Exotenfach. Stefan hat ein Auslandsjahr an einer englischen Universität verbracht, lernte die Hauptsprache Indonesiens und übersetzt traditionelle Erzählungen der Inselvölker. Jetzt will er in Hamburg promovieren.

2

P 3 **Schreiben Sie als Reaktion auf diesen Artikel an die Zeitung.**

Sagen Sie,
- für wie wichtig Sie Auslandserfahrungen halten und warum.
- welche der beiden dargestellten Personen Sie nachahmenswert finden.
- welche Fremdsprachen man nach Ihrer Meinung lernen sollte und warum.
- welche Einträge in einem Lebenslauf Ihrer Meinung nach bei der Bewerbung für eine Stelle positiv bewertet werden.

4 **Prüfen Sie Ihren Text selbst.**

Habe ich den Text klar und übersichtlich gegliedert?
Machen Sie z.B. nach der Einleitung, nach jedem Leitpunkt und vor dem Schlusssatz je einen Absatz.
Schreiben Sie nicht nur Hauptsätze, sondern Haupt- und Nebensätze.
Verbinden Sie die Sätze miteinander. Beginnen Sie einige Sätze z.B. mit *deshalb, aber, trotzdem.*

Habe ich mich präzise ausgedrückt?
Verwenden Sie möglichst feste Verbindungen wie *ein Gespräch führen, eine Frage stellen, einen Hinweis geben.*

Habe ich richtig geschrieben?
Kontrollieren Sie Endungen von Nomen und Verben.
Kontrollieren Sie die Wortstellung im Satz, z.B. Verbendstellung bei Nebensätzen.

1 **Sehen Sie sich die Stichworte an und sammeln Sie weitere Wörter und Begriffe.**

- a Was wird sich ändern?
- b Wie wird es sich ändern?
- c Warum wird sich etwas ändern?
- d Werden Klassenzimmer und Lehrer überhaupt noch gebraucht?

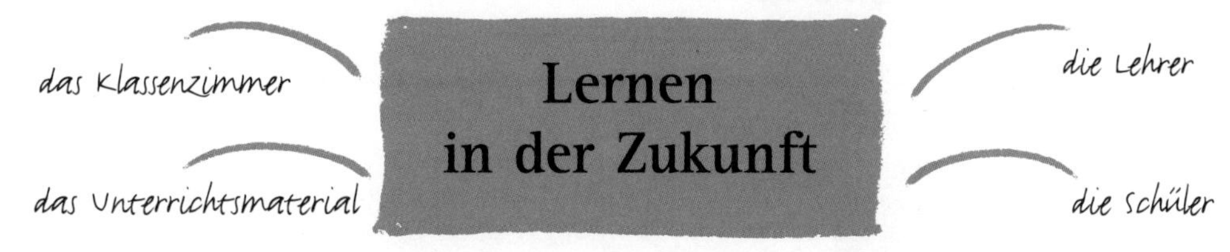

2 **Die Online-Schule – was ist das?**

Sehen Sie sich die Skizze unten an und erklären Sie, wie diese moderne Schule funktioniert.

Per Computer-Netzwerk ist die Online-Schule mit ihren Schülern – Mitarbeitern von Firmen aus aller Welt – verbunden.

In einem Chat können sich die Lernenden auch untereinander austauschen.

Ein Online-Tutor korrigiert die elektronisch eingesandten Hausaufgaben und schickt sie per E-Mail zurück.

3 **Kennen Sie ähnliche Systeme, z.B. Online-Kurse oder Fernkurse? Berichten Sie.**

4 **Sammeln Sie Argumente: Was finden Sie an der Online-Schule gut, was nicht?**

	Gut	Nicht gut
Kein Problem, wenn keine „normale Schule" in der Nähe ist		
Kontakt mit der Lehrkraft		
...		

5 **Diskussion**

In der Übersicht auf der nächsten Seite finden Sie Redemittel, die Sie für eine Diskussion brauchen. Ordnen Sie die folgenden Intentionen in diese Übersicht ein.

das Wort ergreifen – Vorteile darstellen – etwas ablehnen – eine Meinung ausdrücken – ein Gespräch beenden – weitere positive Aspekte anführen

SPRECHEN 2

Intentionen	Redemittel
das Gespräch eröffnen	*Im Grunde geht es um die Frage: ...* *(Also,) es geht hier (doch) um Folgendes: ...*
	Ich würde gerne (direkt) etwas dazu sagen: ... *Darf ich dazu etwas sagen: ...*
	Ich bin der Meinung, dass ... *Ich denke, dass ...* *Ich bin davon überzeugt, dass ...*
etwas richtigstellen	*Sie sehen die Sache nicht ganz richtig.* *Also, so kann man das nicht sagen.* *Vielleicht habe ich mich nicht klar genug ausgedrückt.*
	Unser Unterricht ist doch viel besser als ... *Sie sollten mal zu uns kommen und sehen ...* *In unserer Schule wird besonderer Wert auf ... gelegt.*
	Dazu kommt der Vorteil, ... *Wir dürfen außerdem nicht vergessen, dass ...* *Ein weiterer wichtiger Punkt ist ...*
	Die Idee, ... zu lernen, gefällt mir gar nicht. *Ich finde das Argument, ... , nicht überzeugend.* *Ich finde es schrecklich, dass ...*
Zweifel ausdrücken	*Also, ich bezweifle, dass ...* *Ich glaube kaum, dass ...*
	Wir sollten jetzt langsam zum Ende kommen. *Also, ich muss sagen, Sie haben mich (nicht) überzeugt.*

6 Rollenspiel

Rolle 1: Vertreter einer traditionellen Sprachenschule	Rolle 2: Mitarbeiter der Online-Schule
Auftrag: a Vorteile des traditionellen Unterrichts anführen b Argumente gegen den Unterricht per Online-Schule darlegen	Auftrag: a Vorteile des Unterrichts per Computer anführen b Argumente gegen den traditionellen Unterricht in Kursen darlegen

AB 33 25

1 **In welchem Alter haben Sie angefangen, Deutsch zu lernen?**
Ist das Ihrer Meinung nach ein gutes Alter? Warum?

2 **Lesetraining**
- a Lesen Sie die Zeitungsmeldung.
- b Decken Sie dann den Text zu und machen Sie sich Notizen darüber, was Sie gelesen haben.
- c Wiederholen Sie mündlich den Inhalt des Textes.

CHANTELLE COLEMAN, vierjährige Britin mit einem IQ von 152, hat in nur drei Monaten Deutsch gelernt. Das Mädchen hörte die Sprache zum ersten Mal, als deutsche Journalisten sie als jüngstes Mitglied eines Hochbegabten-Clubs interviewten. Sie brachte sich nach diesem ersten Kontakt mit dem Deutschen die Sprache selbst bei. „Es ist etwas schwierig, sie verlangt ihr Frühstück jeden Morgen auf Deutsch", sagte ihre Mutter, die nur Englisch spricht.

AB 34 26–28

3 **Um was für eine Textsorte handelt es sich wohl bei dem folgenden Text? Warum?**
- ☐ Aufsatz ☐ Autobiografie ☐ Zeitschriftenartikel
- ☐ Meldung aus der Zeitung/Bericht

4 **Lesen Sie, wie der Schriftsteller Elias Canetti (1905–1994) Deutsch gelernt hat.**

Elias Canetti
Die gerettete Zunge
Geschichte einer Jugend
Fischer

Die gerettete Zunge

Unsere Reise ging weiter in die Schweiz, nach Lausanne, wo die Mutter für den Sommer einige Monate Station machen wollte. Ich war acht Jahre alt, ich sollte in Wien in die Schule kommen, und meinem Alter entsprach dort die 3. Klasse der Volksschule. Es war 5 für die Mutter ein unerträglicher Gedanke, daß man mich wegen meiner Unkenntnis der Sprache vielleicht nicht in diese Klasse aufnehmen würde, und sie war entschlossen, mir in kürzester Zeit Deutsch beizubringen.

Nicht sehr lange nach unserer Ankunft gingen wir in eine Buchhandlung, sie fragte nach einer englisch-deutschen Grammatik, nahm das erste Buch, das man ihr gab, führte mich sofort nach Hause zurück und begann mit ihrem Unterricht. Wie soll ich die Art dieses Unterrichts glaubwürdig schildern? Ich weiß, wie es 10 zuging, wie hätte ich es vergessen können, aber ich kann auch selbst noch immer nicht daran glauben.
Wir saßen im Speisezimmer am großen Tisch, ich saß an der schmäleren Seite, mit der Aussicht auf See und Segel. Sie saß um die Ecke links von mir und ...

In der hier fehlenden Textpassage beschreibt Canetti, wie seine Mutter ihm die deutsche Sprache beibrachte.

Am nächsten Tag saß ich wieder am selben Platz, das offene Fenster vor mir, den See und die Segel. Sie nahm die Sätze vom Vortag wieder her, ließ mich einen nachsprechen und fragte, was er bedeute. Mein Unglück woll-15 te es, daß ich mir seinen Sinn gemerkt hatte, und sie sagte zufrieden: „Ich sehe, es geht so!" Aber dann kam die Katastrophe, und ich wußte nichts mehr, außer dem ersten hatte ich mir keinen einzigen Satz gemerkt. Ich sprach sie nach, sie sah mich erwartungsvoll an, ich stotterte und verstummte. Als es bei einigen so weiterging, wurde sie zornig und sagte: „Du hast dir doch den ersten gemerkt, also kannst du's. Du willst nicht. Du willst in Lausanne bleiben. Ich lasse dich allein in Lausanne zurück. Ich fahre nach Wien, und Miss Bray* und 20 die Kleinen nehme ich mit. Du kannst allein in Lausanne bleiben!"

Ich glaube, daß ich das weniger fürchtete als ihren Hohn. Denn wenn sie besonders ungeduldig wurde, schlug sie die Hände über dem Kopf zusammen und rief: „Ich habe einen Idioten zum Sohn? Das habe ich nicht gewußt, daß ich einen Idioten zum Sohn habe!" oder „Dein Vater hat doch auch Deutsch gekonnt, was würde dein Vater dazu sagen?" (...)

25 Ich lebte nun in Schrecken vor ihrem Hohn und wiederholte mir untertags, wo immer ich war, die Sätze. Bei den Spaziergängen mit der Gouvernante war ich einsilbig und verdrossen. Ich fühlte nicht mehr den Wind, ich hörte nicht auf die Musik, immer hatte ich meine deutschen Sätze im Kopf und ihren Sinn auf englisch. Wann ich konnte, schlich ich mich auf die Seite und übte sie laut allein, wobei es mir passierte, daß ich einen Fehler, den ich einmal gemacht hatte, mit derselben Besessenheit einübte wie richtige Sätze.

*die englische Gouvernante, d.h. Kinderfrau der Familie Canetti

5 **Ergänzen Sie die Informationen aus dem Text sowie die entsprechende Textstelle.**

Frage	Antwort	Belege
Wann spielt die Handlung?	als Canetti acht war, vor dem Ersten Weltkrieg, 1913	Lebensdaten Canettis, Zeile 3
Wo spielt sie?		
Wer sind die Personen?		
Warum soll der Erzähler Deutsch lernen?		

6 **Der Text enthält indirekte, sogenannte implizite Informationen.**

Was erfahren wir zum Beispiel über

- (a) den Vater des kleinen Canetti?
- (b) das Verhältnis von Mutter und Sohn?
- (c) die finanziellen Verhältnisse der Familie?

7 **Schreiben Sie die fehlende Textpassage in drei bis vier Sätzen.**

Vergleichen Sie Ihre Vorschläge in der Klasse. Lesen Sie erst zum Schluss die Auflösung unten.

8 **Hat die Methode der Mutter funktioniert?**

Was glauben Sie? Warum?

9 **Lesen Sie die Informationen über Canetti.**

Wie viele Sprachen konnte er mindestens?

1905	in Rustschuk in Bulgarien geboren als Sohn spanisch-jüdischer Eltern
1911	zog die Familie nach Manchester, seit dieser Zeit sprach er zu Hause nicht mehr Spagnolo und Bulgarisch, sondern Englisch
1913	mit der Mutter Übersiedlung nach Wien, 1916 nach Zürich, 1921 nach Frankfurt a. M.
1977	erschien seine Autobiografie *Die gerettete Zunge*

GR **10** **Worauf bezieht sich das Wort *daran* in Zeile 10 des Textes und wie wird es gebildet?** AB 35 29–32

Auflösung zu Aufgabe 7

hielt das Lehrbuch, in das ich nicht hineinsehen konnte. Sie hielt es immer fern von mir. „Du brauchst es doch nicht", sagte sie, „du kannst sowieso nichts verstehen." Aber dieser Begründung zum Trotz empfand ich, daß sie mir das Buch vorenthielt wie ein Geheimnis. Sie las mir einen Satz deutsch vor und ließ mich ihn wiederholen. Da ihr meine Aussprache mißfiel, wiederholte ich ihn ein paarmal, bis er ihr erträglich schien. Das geschah aber nicht oft, denn sie verhöhnte mich für meine Aussprache, und da ich um nichts in der Welt ihren Hohn ertrug, gab ich mir Mühe und sprach es bald richtig. Dann erst sagte sie mir, was der Satz auf englisch bedeute. Das aber wiederholte sie nie, das mußte ich mir sofort ein für allemal merken.

1 Verben mit Präpositionen

ÜG S. 90

a Präpositionen mit Dativ

an	auf	aus	bei	in
teilnehmen zweifeln	basieren bestehen	sich ergeben folgen schließen	anrufen helfen	bestehen

mit	nach	von	vor	zu
anfangen aufhören sich beschäftigen diskutieren	sich erkundigen forschen fragen suchen	abhängen (sich) ausruhen träumen sich verabschieden	sich fürchten warnen	beitragen gehören neigen passen

b Präpositionen mit Akkusativ

an	auf	für	über	um
sich anpassen denken sich erinnern sich gewöhnen sich halten schreiben sich wenden	achten aufpassen sich konzentrieren reagieren sich verlassen	sich entscheiden sich entschuldigen gelten sich interessieren sorgen sprechen	sich ärgern sich aufregen erschrecken lachen nachdenken sich unterhalten sich wundern	sich bemühen sich bewerben es geht es handelt sich sich kümmern

c Verben mit wechselnden festen Präpositionen, ohne Bedeutungsveränderung

Verb	Präp.	+ Kasus	Beispiel	Präp.	+ Kasus	Beispiel
berichten	von	+ Dativ	*Er berichtet von einem Unfall.*	über	+ Akkusativ	*Er berichtet über einen Unfall.*
reden	von	+ Dativ	*Alle reden vom Wetter.*	über	+ Akkusativ	*Alle reden über das Wetter.*
sprechen	von	+ Dativ	*Von der Prüfung wurde nicht gesprochen.*	über	+ Akkusativ	*Über die Prüfung wurde nicht gesprochen.*

d Verben mit wechselnden festen Präpositionen, mit Bedeutungsveränderung

Verb	Präp.	+ Kasus	Beispiel
bestehen	aus	+ Dativ	*Dieses Getränk besteht ausschließlich aus Wasser, Gerste und Hopfen.*
	auf	+ Dativ	*Ich bestehe auf meinem Recht.*
	in	+ Dativ	*Das Problem besteht darin, dass wir keine Zeit mehr haben.*
halten	von	+ Dativ	*Ich halte nichts von faulen Kompromissen.*
	für	+ Akkusativ	*Sie hielt den Mann für einen Dilettanten.*

e Verben mit mehreren präpositionalen Ergänzungen

Verb	Präp. + Kasus	Präp. + Kasus	Beispiel
diskutieren	mit + Dativ	über + Akkusativ	*Er diskutiert mit ihr über das Programm.*
verhandeln	mit + Dativ	über + Akkusativ	*Er verhandelt mit ihr über das Programm.*
sich beschweren	bei + Dativ	über + Akkusativ	*Er beschwert sich bei seinem Nachbarn über den Lärm.*
sich bedanken	bei + Dativ	für + Akkusativ	*Sie bedankt sich bei ihm für den guten Rat.*
sich entschuldigen	bei + Dativ	für + Akkusativ	*Er entschuldigt sich bei ihr für seine Fehler.*
sich erkundigen	bei + Dativ	nach + Dativ	*Sie erkundigt sich bei ihm nach seiner Gesundheit.*
sich informieren	bei + Dativ	über + Akkusativ	*Sie informiert sich bei der Schule über das Kursangebot.*

f Satzergänzungen bei Verben mit festen Präpositionen: *da(r)-* + **Präp.** ÜG S. 56

Beispiel: *Er erinnert sich daran, wie er Deutsch gelernt hat; sich erinnern an eine Sache, ein Erlebnis = sich daran (= an es) erinnern.*

Da(r-) funktioniert als Ersatz für das Pronomen es. Es wird gebraucht, wenn Begriffe oder (abstrakte) Sachen gemeint sind. Treffen zwei Vokale aufeinander, wird zwischen *da* und Präposition ein *-r-* eingefügt. Die häufigsten Verbindungen von *da(r)-* sind: *daran, darauf, darin, darüber, dagegen, darum, damit, dafür.*

g Aus Verben mit Präpositionen abgeleitete Nomen haben dieselbe Präposition: *die Teilnahme an, die Konzentration auf, die Diskussion mit … über*

2 Wortbildung des Verbs

ÜG S. 106–109

a Vorsilbe betont – vom Verb trennbar

Vorsilbe	Beispiel	Vorsilbe	Beispiel
ab-	abmachen	**her-**	hergeben
an-	sich aneignen	**hin-**	hinfahren
auf-	aufnehmen	**los-**	loslassen
aus-	aussprechen	**mit-**	mitnehmen
bei-	beibringen	**nach-**	nachsprechen
durch-*	durchsagen	**um-***	umarbeiten
ein-	einsehen	**unter-***	(etwas) unterlegen
entgegen-	entgegengehen	**vor-**	vorschlagen
entlang-	entlangfahren	**weg-**	weglaufen
fort-	fortsetzen	**wider-***	widerspiegeln
gegenüber-	gegenüberstellen	**zu-**	zumachen
gleich-	gleichsetzen	**zurück-**	zurücklassen
heraus-	herausfinden	**zusammen-**	zusammenkommen

b Vorsilbe unbetont – vom Verb nicht trennbar

Vorsilbe	Beispiel	Vorsilbe	Beispiel
be-	begreifen	**miss-**	missfallen
emp-	empfinden	**über-***	überlegen
ent-	sich entschließen	**unter-***	unterhalten
er-	ertragen	**ver-**	vergessen
ge-	gefallen	**wieder-***	wiederholen
hinter-	hinterlassen	**zer-**	zerreißen

* Diese Vorsilben gibt es sowohl bei trennbaren als auch bei untrennbaren Verben.

1 **Beschreiben Sie Ihrer Lernpartnerin/ Ihrem Lernpartner das Foto möglichst genau.**

Sie/Er hält dabei das Lehrbuch geschlossen und betrachtet das Foto im Arbeitsbuch.

der Platz, ¨-e	*die Säule, -n*
der Rasen, -	*die Flagge, -n*
der Turm, ¨-e	*die Kuppel, -n*
die Fassade, -n	*das Gebäude, -*
die Architektur	

2 **Ihre Partnerin/Ihr Partner beschreibt Ihnen ein Foto aus dem Arbeitsbuch in allen Einzelheiten.**

Sie halten dabei das Arbeitsbuch geschlossen und betrachten das Foto oben.

AB 40 2

3 **Stellen Sie Gemeinsamkeiten und Unterschiede der beiden Bilder fest.**

Befindet sich auf deinem Bild auch ...?
Hast du auch ...?
Gibt es bei dir ...?

4 **Welche anderen Gebäude Berlins kennen Sie?**

5 **Sehen Sie sich den Reichstag im Internet an: www.berlin.de**

LESEN 1

1 **Berlin – Sammeln Sie Assoziationen.**

2 **Erste Orientierung vor dem Lesen**
Aus welcher Quelle stammt der Text wohl?
Was erwarten Sie nach dem Lesen der Überschrift?

3 **Lesen Sie den ganzen Text ohne Wörterbuch.**
Unterstreichen Sie beim Lesen Wörter, die Sie nicht kennen.

Der erste oder der einzige Tag

Da sind Sie nun in dieser unübersichtlichen Riesenstadt und wissen vielleicht nicht, wo Sie anfangen sollen. Deshalb habe ich als Überblick ein Programm ausgearbeitet, das informativer und billiger ist als eine der üblichen Stadtrundfahrten. 5

Brechen Sie so früh wie möglich in Ihren bequemsten Schuhen auf und fahren Sie mit der Verkehrsverbund-Tageskarte (die es in größeren Bahnhöfen am Kiosk, sonst in Automaten gibt) als Erstes zur *Kaiser-Wilhelm-Gedächtniskirche*[1] am Breitscheidplatz. In den Jahren der Teilung galt die Turmruine im Herzen Westberlins als Freiheitssymbol. Schauen Sie unbedingt in die Gedenkhalle unten im Turm. Dort bekommen Sie ein Gespür für Berlins Schicksal in der jüngeren Vergangenheit. Draußen hält der Bus 129. Vielleicht bekommen Sie sogar einen Platz in der vordersten Reihe seines Oberdecks. 10 15 20

Weiter geht es in die – eine Generation lang abgetrennte – historische Stadtmitte. Nach wenigen Minuten sind Sie bereits am *Großen Stern*, wo die Statue der Viktoria hoch auf einer Säule über dem Tiergarten schwebt. Hier sollten Sie unbedingt aussteigen. Betrachten Sie die Platzanlage und lassen Sie sich nicht abschrecken von den 285 Stufen, die im Inneren der *Siegessäule*[2] hinaufführen. Der Blick lohnt jede Mühe. Die Säule erinnert an den Deutsch-Französischen Krieg von 1870/71. 25 30

Bis zum nahen *Reichstag**[3] durchquert der Bus den sogenannten Spreebogen, das Regierungsviertel der Hauptstadt. Solange die Mauer stand, fanden fast alle westlichen Mammutveranstaltungen vor dem Reichstag statt. Hier beschwor Oberbürgermeister Ernst Reuter 1948 vor 350.000 Menschen die Völker der Welt: „Schaut auf diese Stadt und erkennt, dass ihr diese Stadt und dieses Volk nicht preisgeben dürft und preisgeben könnt!" Sie können sich im Restaurant des Reichstags erfrischen oder in der gläsernen Kuppel herumlaufen. Wandern Sie aber auch ein bisschen draußen herum. 35 40

Mit ein paar Schritten Richtung Süden sind Sie bereits am *Brandenburger Tor*[4]. Etwas weiter erhebt sich das *Sowjetische Ehrenmal*[5], von der Roten Armee 1945 für die etwa 70.000 russischen Soldaten errichtet, die im Kampf um Berlin gefallen waren. Als Material dienten Marmorblöcke aus Hitlers zerstörter Reichskanzlei. 28 Jahre war hier vor dem Brandenburger Tor die West-Inselwelt zu Ende. Durchschreiten Sie in Erinnerung an jene Zeiten das Tor. Gleich rechts, am Beginn des prächtigen Boulevards *Unter den Linden*, hält Bus Nr. 100, mit dem Sie bis zur *Oper*[6] fahren. 45 50 55

Hier gilt es eine Entscheidung zu treffen: Weiter mit dem Bus oder zu Fuß? Ziel ist in jedem Fall der Bahnhof *Alexanderplatz*[7]. Das Herzstück des alten Berlin, einst überquellend von Leben, wurde im Krieg stark zerstört und war später Kernstück der Hauptstadt der DDR, wo nun der Fernsehturm in den Himmel schießt. 60

Es geht weiter mit der U-Bahn bis zur *Kochstraße*[8]. Schauen Sie sich unbedingt das Mauer-Museum an. Beklemmend und dramatisch wird hier in Dokumenten, Filmen und Videoshows über die Mauer informiert, über Flüchtende, Fluchtfahrzeuge und Tunnels. 65

Und wer nach all den Sehenswürdigkeiten noch Unternehmungsgeist verspürt, ist fast schon ein Berliner. Zu nächtlichen Vergnügungen mit ganz besonderer Note fahren Sie mit der U-Bahn zurück zum Kurfürstendamm. Von hier sind es nur wenige Schritte die *Meineckestraße*[9] entlang Richtung Süden. Sie stoßen direkt auf das Musical-Theater, wo es vielleicht noch Karten gibt. Oder auf die berühmte „Bar jeder Vernunft", wo sich anschließend ab 23 Uhr Nachtsalon oder Pianobar öffnet. 70 75

* Sitz des Deutschen Bundestags

4 **Erschließen Sie die Bedeutung unbekannter Wörter.**
Sie haben dabei zwei Möglichkeiten.

AB 40 3–5

Zeile	unbekanntes Wort	ableiten aus bekannten Wörtern	verstehen aus dem Kontext
Z. 1	unübersichtlichen	Sicht – sehen – übersichtlichen = man kann etwas leicht sehen, sich darin orientieren; un- = nicht	Riesenstadt; wissen vielleicht nicht, wo Sie anfangen sollen.

5 **Nummerieren Sie die Stationen 1–9 der Stadtrundfahrt auf diesem Plan.**

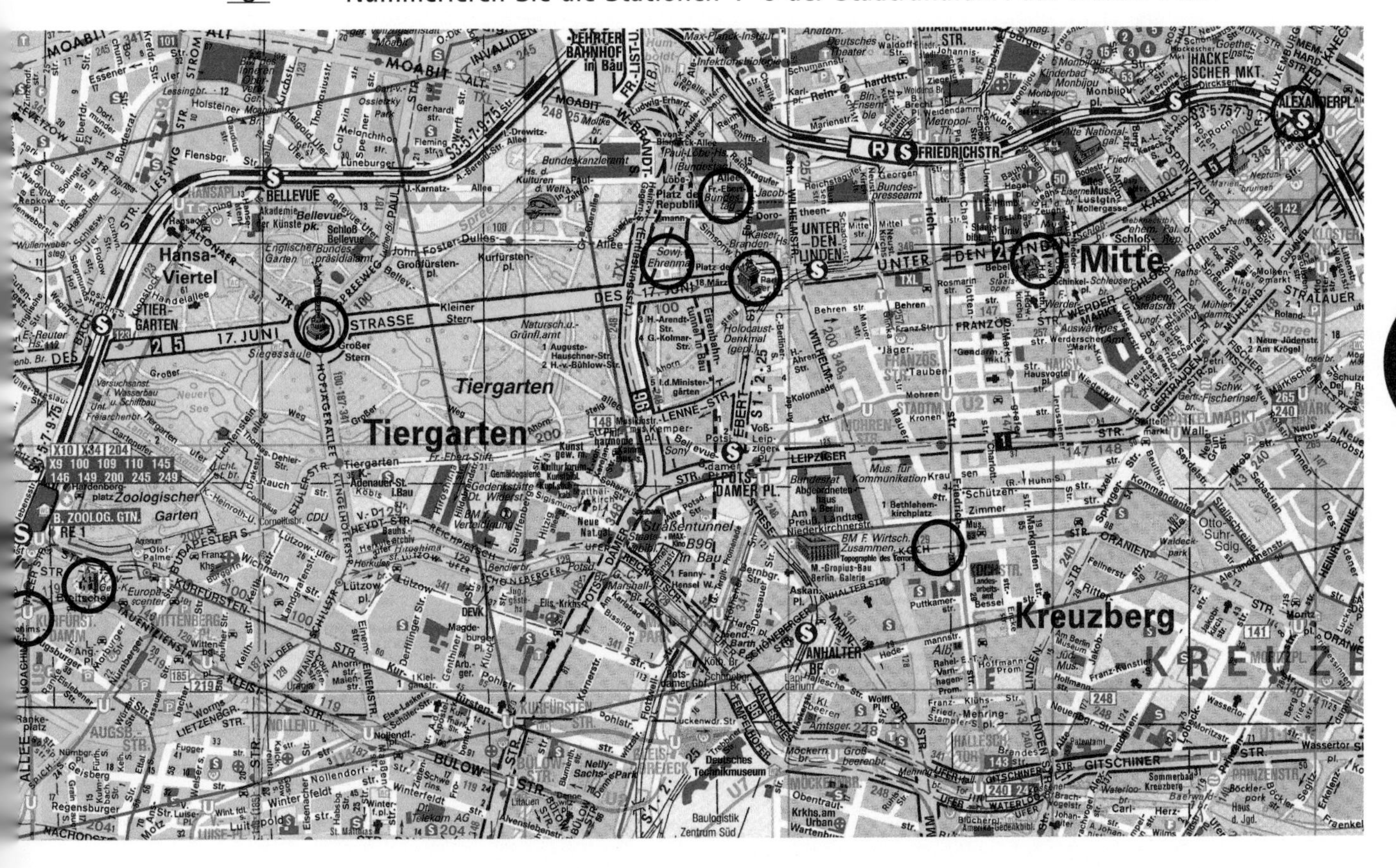

6 **Sind folgende Aussagen richtig (r) oder falsch (f)?**

- ☐ Die Autorin macht Vorschläge, was man sich am ersten Tag in Berlin ansehen soll.
- ☐ Sie will ein Alternativprogramm zu den normalen Stadtrundfahrten anbieten.
- ☐ Die Stadtführung wird hauptsächlich zu Fuß gemacht.
- ☐ Die Autorin zeigt nur die schönen Seiten Berlins.
- ☐ Die Autorin erklärt, welche Bedeutung bestimmte Orte für die Berliner haben.
- ☐ Sie führt auch an Orte im Ostteil der Stadt.
- ☐ Sie will den Touristen auch mit dem typischen Berliner zusammenbringen.
- ☐ Sie führt an Orte, an denen die Geschichte Berlins deutlich wird.
- ☐ Sie denkt auch daran, wo der Tourist mal eine Kleinigkeit essen kann.
- ☐ Sie gibt Tipps in Bezug auf Ausgehen und Abendprogramm.
- ☐ Sie hat Alternativvorschläge für schlechtes Wetter.

7 **Welche Sehenswürdigkeiten und Orte erinnern an welche Phasen der Geschichte Berlins?**

Geschichte Berlins	Sehenswürdigkeit/Ort
im 19. Jahrhundert kurz nach dem 2. Weltkrieg während der Teilung Deutschlands	

GR 8 **Ergänzen Sie die fehlenden Wörter aus dem Lesetext.** GR S. 53/54

a Hauptsätze

Position 1	Position 2	Position 3, 4 ...	Endposition
Da	*sind*	*Sie nun in dieser unübersichtlichen Riesenstadt.*	
In den Jahren der Teilung			
	geht	*es in die historische Stadtmitte.*	
Solange die Mauer stand,			

b Imperativsätze

Position 0	Position 1	Position 2	Position 3, 4 ...	Endposition
	Brechen		*so früh wie möglich in Ihren bequemsten Schuhen*	*auf*
und				

c Sätze, verbunden mit Konnektoren

Hauptsatz	Konnektor	Nebensatz	Endposition
Nach wenigen Minuten sind Sie bereits am Großen Stern,		*die Viktoria über dem Tiergarten*	

GR 9 **Wiederholen Sie die Regeln zur Wortstellung.**

Ergänzen Sie die fehlenden Wörter und Beispiele.

Hauptsatz

a Auf Position 1 können außer der Nominativergänzung (Subjekt) auch andere Strukturen stehen. Beispiel: ...

b Die wichtigste Regel lautet: Das Verb mit Personalendung steht im Hauptsatz immer auf Position ...

c Die Nominativergänzung steht entweder auf Position 1 oder ...

d Auf Position 3, 4 ... stehen die obligatorischen Verb-Ergänzungen, wie zum Beispiel ...

e Auf Position 3, 4 ... stehen außerdem freie Angaben temporaler, kausaler, modaler oder lokaler Art, wie zum Beispiel ...

f Hat das Verb mehrere Teile (zum Beispiel trennbares Verb, Perfekt, Verb + Modalverb usw.), steht der zweite Teil ...

Imperativsatz

g Auf Position 1 steht im Imperativsatz ...

Sätze, die mit Konnektoren verbunden sind

h Bei Nebensätzen, die zum Beispiel mit *dass* oder *wo* eingeleitet werden, steht auf der Endposition ...

AB 41 6–12

WORTSCHATZ – *Projekt: Kaffeehaus*

1 **Beschreiben Sie die beiden Fotos.**
Was fällt Ihnen besonders auf?

2 **Sammeln Sie Assoziationen.**

3 **Was versteht man in Ihrem Heimatland unter einem Café/Kaffeehaus?**

4 **Finden Sie heraus, welche Bedeutung ein Café/Kaffeehaus in Deutschland bzw. in Österreich hat.**

a Erarbeiten Sie dazu einen Fragebogen mit etwa sechs Fragen.

Fragebogen: deutsches Café bzw. österreichisches Kaffeehaus

1. *Wie ist das Café/Kaffeehaus eingerichtet?*
2. *Wer ...*
3. *Was ...*
4. *Wann ...*
5. *Wie lange ...*
6. ...

b Suchen Sie im Branchenbuch Ihrer Stadt/Ihres Kursortes die Adresse von einem Café/Kaffeehaus deutschen bzw. österreichischen Stils heraus. Recherchieren Sie mithilfe Ihres Fragebogens. Falls sich in Ihrer Stadt bzw. am Kursort kein solches Lokal findet, versuchen Sie, die Fragen beispielsweise anhand von Reiseführern, Zeitschriften und Büchern zu beantworten.

AB 44 13–14

5 **Berichten Sie in der Klasse, was Sie herausgefunden haben.**

LESEN 2

1 Ausgehen in Berlin

(a) Stellen Sie sich vor, Sie sind mit Freunden ein paar Tage in Berlin.
(b) Wie informieren Sie sich über Restaurants, Bars, Cafés, Kneipen, Nachtklubs?
(c) Wie muss so ein Lokal sein, damit Sie sich wohlfühlen?

2 Meistvergebene Stichwörter auf Internet-Suchseiten

Bar, Bier, Bistro, Brunch, Buchhandlung, Café, Camping, Cocktails, DJ, Essen, Frühstück, Kabarett, Kaffee, Kino, Klub, Kneipe, Kuchen, Livekonzerte, Lounge, Musik, Nichtraucher, Pizza, Programmkino, Restaurant, Sandwich, Sauna, Straßencafé, Suppen, Tee, Terrasse, Theater, veganvegetarisch, Wein, Weinhandel, Weinkeller, Weinkenner, Weinprobe, Wohnzimmer, zeitgenössische Kunst, Zeitschriften

Welche dieser Begriffe passen nicht zum Thema „Ausgehen in Berlin"?
Begründen Sie Ihre Wahl.

3

3 Werfen Sie einen kurzen Blick auf den Lesetext auf Seite 47.

(a) Aus welcher Quelle stammt der Text wohl?
(b) Welchen Lesestil wenden Sie bei solchen Texten am ehesten an?

- ☐ Globales oder überfliegendes Lesen: Man versucht, aus einem Text rasch die wichtigsten Informationen zu entnehmen, hält sich aber nicht bei den Einzelheiten auf.
- ☐ Selektives oder suchendes Lesen: Man interessiert sich für bestimmte Informationen, beispielsweise die Öffnungszeiten, und sucht alle Einzeltexte nach diesen Informationen ab.
- ☐ Detailliertes oder genaues Lesen: Man will auch Einzelheiten und Nuancen verstehen, liest alles Wort für Wort.

P 4 Lokale in Berlin

Welche Lokale sind für die Personen unten geeignet?
Es gibt jeweils nur eine richtige Lösung.
Es ist möglich, dass nicht für jede Person etwas Passendes zu finden ist.
Schreiben Sie in diesem Fall „keins".

1 Herr Richter möchte nach dem Essen in eine Prominenten-Bar. Lutter & Wegner
2 Herr Schuster ist ein Liebhaber von guten Torten. ....
3 Wenn Frau Peters ausgeht, ist sie oft so lange unterwegs, bis es wieder hell wird. ....
4 Herr Bürger möchte Berlin bei Nacht erleben. Er tanzt gern Samba. ....
5 Frau Hermann mag internationales Flair in einem Lokal, das nicht unbedingt schön sein muss. ....
6 Herr Bellaire steht gern spät auf und liebt ein besonderes Frühstück. ....
7 Sabine und Klaus kleiden sich gern etwas „anders" und suchen ein Lokal, in dem auch Bands auftreten. ....
8 Herr York sucht eine gemütliche Berliner Kneipe mit besonders persönlicher und freundlicher Bedienung. ....
9 Frau Rasch möchte endlich einmal typische Berliner Speisen probieren. ....
10 Frau Keller möchte stilvoll und gut zu Abend essen. ....

● **Zwiebelfisch** / Savignyplatz 7–8
Eine lange Nacht endet meist im „Zwiebelfisch“, wo sich kurz vor der Morgendämmerung alle treffen: Nachtschwärmer und Frühaufsteher, Lebenskünstler und Geschäftemacher. Sie diskutieren, spielen Schach oder sitzen einfach nur da, während Kneipenhund „Müller von der Halde“ unter der Theke von der Hasenjagd träumt.

● **Operncafé** / Unter den Linden
Morgens ist das „amerikanische Frühstücksbuffet“ eine willkommene Alternative zur Einheitsmarmelade im Hotel, am Nachmittag lassen sich erschöpfte Touristen auf hellblauen Sesseln zur Sahnetorte nieder. Mit dem Kuchen gibt sich das Operncafé größte Mühe: Unter der Glastheke werden Strudel wie Trüffel mit Umluft klimatisiert und stets bei optimaler Luftfeuchtigkeit ausgestellt.

● **Café Savigny** / Grolmannstr. 53–54
Fast immer voll. Eine umfangreiche Auswahl an Zeitungen und Zeitschriften, die prominente Lage und das noble Frühstück, das bis in den Nachmittag hinein serviert wird, mögen Gründe dafür sein. Und ein weiterer: Durch die großen Glasscheiben sieht der Gast und wird gesehen.

● **Berlin-Museum** / Lindenstr. 14
Die Alt-Berliner Weißbierstube kommt manchem Besucher schöner vor als der Rest des interessanten Hauses. Die Einrichtung ist museumsreif, die vorwiegend kalte Küche bietet alles, was als berlinisch gilt – vom Schusterjungen mit Griebenschmalz bis zur Roten Grütze –, und die Stimmung ist bis drei Uhr früh gut bis bierselig.

● **Lutter & Wegner** / Gendarmenmarkt
Früher stand das Restaurant zwei Straßenecken weiter, besucht von Schriftstellern, Schauspielern und Operettenstars. Es war bekannt für seinen Weinkeller und als Lieferant der preußischen Kronprinzen. Die Bomben des Zweiten Weltkriegs zerstörten das Restaurant. Seit 1997 gibt es das Restaurant wieder am Gendarmenmarkt. Nach dem Essen kann man in edle Bars schlendern und sich zudem an dem einzigartigen Panorama erfreuen. Mit etwas Glück trifft man hier bekannte Politiker oder andere Prominente.

● **Zum Stammtisch** / Bredowstraße 15
Der Stammtisch sieht von außen wie ein typischer „Stammtisch“ aus – mit typischen Kneipenattributen ausgestattet: Mit Bierreklame, Grünpflanzen an gardinenverhangenen Fenstern wirkt es für Nichteingeweihte nicht sehr einladend. Dieser erste Eindruck täuscht! Wer erst einmal das Urberliner Wirtsehepaar Regina und Klaus kennengelernt hat, wird immer wieder gern dort einkehren. Beide geben den Gästen das Gefühl, sie schon ewig zu kennen, und wissen spätestens beim zweiten Besuch genau, was man gerne trinkt oder isst.

● **Wohnzimmer** / Lettestraße 6
Nun gibt es ja im Prenzlauer Berg zahllose mit Sperrmüllmobiliar eingerichtete Bars und Cafés, aber das Wohnzimmer übertrifft hier alles. An den Wänden finden sich noch Reste der alten Innenausstattung des ehemaligen Wohnhauses, Kacheln, Waschbecken, unsäglich geschmacklose Tapeten. In durchgesessenen Sofagruppen findet man die Gäste bei entspannter Konversation, nicht selten auch auf Spanisch oder Englisch.

● **Wild At Heart** / Wiener Straße 20
Das Wild At Heart ist eine Punk-Kneipe und Konzertstätte in Kreuzberg. Sie lohnt definitiv einen Besuch, auch als Nicht-Punk fühlt man sich hier wohl. Vor 22 Uhr sollte man nicht kommen, dann ist noch nichts los. Mehrere Tage in der Woche gibt es internationale Live-Acts. Fast alles, was Rang und Namen in der Szene hat, ist hier schon aufgetreten. Die Einrichtung ist stilgemäß schlicht, die Barkeeper und tatsächlich sehr viele Gäste sind als Punks oder Rockabillies gekleidet. Das Bier wird schnell und fair gezapft, die Preise bewegen sich im normalen Berliner Rahmen.

5 **Recherchieren Sie im Internet.**

Suchen Sie eine Berliner Kneipe, die Sie gerne besuchen würden.
Stellen Sie diese im Kurs kurz vor.

HÖREN

1 **Was fällt Ihnen spontan zu diesen beiden Städten ein?**

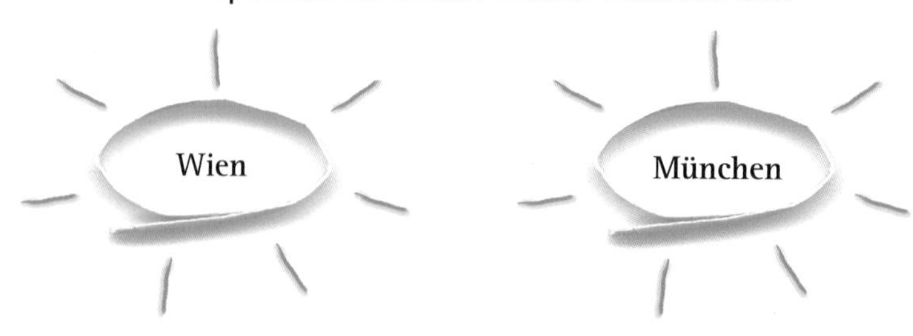

2 CD 1 | 12 **Hören Sie den ersten Teil eines Gesprächs.**

a) Wer spricht hier?
b) Woher stammt die Person?

3 **Haben Sie diese Aussagen über Wien gehört?**

3

a	Herr G. stellt fest, dass Tradition in Wien eine große Rolle spielt.	☐ Ja	☐ Nein
b	Ihm gefällt die Lage der Stadt wegen der nahen Berge, der Weingärten und dem Fluss.	☐ Ja	☐ Nein
c	Vor 100 Jahren lebten in Wien so viele Menschen wie heute.	☐ Ja	☐ Nein
d	Die Einwohner Wiens kamen vor allem aus Süd- und Südosteuropa.	☐ Ja	☐ Nein
e	Im Wiener Dialekt spürt man den Einfluss verschiedener Sprachen.	☐ Ja	☐ Nein

4 CD 1 | 13 **Hören Sie den Rest des Gesprächs.**

Nummerieren Sie, in welcher Reihenfolge diese Aspekte im Gespräch erwähnt werden, und kreuzen Sie an, wie die Aspekte bewertet werden.

Die Stärken und Schwächen Münchens

	Bewertung:	*gut*	*schlecht*
	Freizeitmöglichkeiten		
	Einkaufsmöglichkeiten		
1	Kulturangebot		
	Lebensgefühl		
	Öffentlicher Nahverkehr		
	Sicherheit vor Verbrechen		
	Klima/Wetter		
	„Neureiche" Mitbürger		
	Mieten		

5 CD 1 | 12–13 **Hören Sie das Gespräch noch einmal ganz.**

Notieren Sie dazu Stichworte.

Ort	Vorteile	Nachteile
München		sehr teure Stadt
Wien		

AB 45 15

1 Lesen Sie den Brief einer deutschen Brieffreundin.

Lieber Theo, Bonn, den 17. Januar 20..

vielen Dank für Deine nette Karte, die gestern ankam. Finde ich gut, dass Du in den Ferien nicht faul rumliegst, sondern Dein Deutsch in einem Sprachkurs verbesserst.

Stell Dir vor, wen ich im Skiurlaub wieder getroffen habe: den Pierre aus Bordeaux. Bestimmt erinnerst Du Dich noch an ihn. Er erzählte mir, dass er vor Kurzem auch einen Deutschkurs besucht hat. Der Kurs war wohl gut, aber offenbar fand er die Stadt ein wenig langweilig. Mit den „gemütlichen" Kneipen konnte er wenig anfangen. Außerdem fand er das Ausgehen schrecklich teuer. Obendrein soll das Wetter miserabel gewesen sein. Jetzt interessiert mich natürlich, ob es Dir genauso geht. Hoffentlich nicht!!!

Von hier gibt es eigentlich sonst nicht viel Neues zu berichten.

Lass bald wieder von Dir hören. Bis dahin

alles Liebe

Deine

Angelika

P 2 Korrigieren Sie den Antwortbrief von Theo.

Schreiben Sie die richtige Form an den Rand.

Wenn ein Wort falsch platziert ist, schreiben Sie es zusammen mit seinem Nachfolger.

Libe Angelika,

es freut mich wirklich, dass Du mir hast gleich zurückgeschrieben. Als der Briefträger gestern klingelte, dachte ich: es muss was Besonders sein! Ich wollte Dich gleich anrufen, aber hast Du Dir anscheinend ein neues Handy gekauft. Dein alte Nummer funktioniert nicht mehr.

In Frankfurt gefällt es mich ausgezeichnet. Das Institut ist supermodern und gut ausgestattet. Zum Glück ich habe noch einen Platz in einem Vormittagskurs bekommen. Nach dem Unterricht gehe ich zu mein Zimmer im Studentenheim. Die ist nicht toll – aber es geht. Meistens entspanne ich mich dann ein bisschen am Computer – schreibe E-Mails oder so. Leider uns gibt die Lehrkraft ziemlich viele Hausaufgaben. Die mache ich meistens abends. In Frankfurt ist echt viel los. Natürlich das ist auch hier nicht ganz billig.

Ich habe hier sehr nette Freunde gefunden. Mit ein Brasilianer in meinem Kurs verstehe ich mich besonders gut. Die Kursteilnehmer kommen aus ganze Welt. Nicht nur mein Deutsch, aber auch mein Allgemeinwissen hat sich dadurch verbessert.

Vielleicht schaffe ich es auf dem Rückweg, in Bonn vorbeikommen. Bist Du am 28. nach Hause?

Sei ganz herzlich gegrüßt.

Dein Theo

Liebe ....

hast. Als ....

....

....

....

....

....

....

....

....

....

....

....

....

....

....

....

....

3 Welche Fehler haben Sie gefunden?

Vergleichen Sie in der Klasse.

AB 45 16–18

3

LESEN 3

1 Lesen Sie die Kurzinformation über Berlin.

Berlin zur Zeit Tucholskys

1881	erste elektrifizierte Straßenbahnlinie, das Telefon-Ortsnetz Berlin wird in Betrieb genommen
1902	erste Hoch- und U-Bahn-Strecke
1888–1918	Regierungszeit Kaiser Wilhelms II.
1914–1918	1. Weltkrieg
1918	Novemberrevolution, Abdankung des Kaisers, Deutschland wird Republik
1920	aus acht Städten und 59 Gemeinden entsteht Groß-Berlin mit 3,85 Millionen Einwohnern; Beginn der „Goldenen Zwanzigerjahre“

2 Was will der Autor dieses Textes?

- ☐ über die Ereignisse aus dem Jahre 1919 berichten
- ☐ Informationen über die Stadt geben
- ☐ subjektive Eindrücke schildern

Berlin! Berlin!

Über dieser Stadt ist kein Himmel. Ob überhaupt die Sonne scheint, ist fraglich; man sieht sie jedenfalls nur, wenn sie einen blendet, will man über den Damm gehen. Über das Wetter wird zwar geschimpft, aber es ist kein Wetter in Berlin.

Der Berliner hat keine Zeit. Er hat immer etwas vor, er telefoniert und verabredet sich, kommt abgehetzt zu einer Verabredung und etwas zu spät und hat sehr viel zu tun. In dieser Stadt wird nicht gearbeitet – hier wird geschuftet. (Auch das Vergnügen ist hier eine Arbeit, zu der man sich vorher in die Hände spuckt und von der man etwas haben will.)

Manchmal sieht man Berlinerinnen auf ihren Balkons sitzen. Die sind an die steinernen Schachteln geklebt, die sie hier Häuser nennen, und da sitzen die Berlinerinnen und haben Pause. Sie sind gerade zwischen zwei Telefongesprächen oder warten auf eine Verabredung oder haben sich – was selten vorkommt – mit irgend etwas verfrüht – da sitzen sie und warten. Und schießen dann plötzlich, wie der Pfeil von der Sehne – zum Telefon – zur nächsten Verabredung.

Der Berliner kann sich nicht unterhalten. Manchmal sieht man zwei Leute miteinander sprechen, aber sie unterhalten sich nicht, sondern sie sprechen nur ihre Monologe gegeneinander. Die Berliner können auch nicht zuhören. Sie warten nur ganz gespannt, bis der andere aufgehört hat zu reden, und dann haken sie ein. Auf diese Weise werden viele Berliner Konversationen geführt.

Die Berliner sind einander spinnefremd. Wenn sie sich nicht irgendwo vorgestellt wurden, knurren sie sich auf der Straße und in den Bahnen an, denn sie haben miteinander nicht viel Gemeinsames. Sie wollen voneinander nichts wissen und jeder lebt ganz für sich. Berlin vereint die Nachteile einer amerikanischen Großstadt mit denen einer deutschen Provinzstadt.

Kurt Tucholsky, 1919

3 Wie beurteilt Kurt Tucholsky folgende Aspekte?

Kreuzen Sie an.

Urteil über	+	+/-	-
das Wetter in Berlin	☐	☐	☐
das Verhältnis der Berliner zur Arbeit	☐	☐	☐
das Verhalten der Berlinerinnen	☐	☐	☐
Gespräche zwischen Berlinern	☐	☐	☐

AB 46 19–22

4 Welche Merkmale Berlins treffen auf eine Großstadt und ihre Bewohner in Ihrem Heimatland zu?

3

1 **Sehen Sie sich die Fotos an. Wo sehen Sie diese architektonischen Details?**

das Ornament, -e
der Bogen, -
der Erker, -
individuell
futuristischer Stil
die Fassade, -n
Reihenhaus, ¨-er
im Grünen
die Kugel, -n
der Wolkenkratzer, -
die Verzierung, -en
der Ziegel, -

AB 48 23

2 **Wählen Sie zu zweit eines der Gebäude aus.**

Beschreiben Sie das Besondere daran.
Wie stellen Sie sich das Leben darin vor?

Das Haus sieht aus wie ...
Es scheint, als ob es ...
Wenn ich in diesem Haus wohnen würde, ...
In einem so ... Haus könnte (müsste) man ...

P **3** **Eine Auswahl treffen**

- Für einen Beitrag in der Kurszeitung zum Thema „Wohnen in der Stadt" sollen Sie eines der drei Fotos auswählen.
- Machen Sie einen Vorschlag und begründen Sie ihn.
- Widersprechen Sie Ihrer Gesprächspartnerin / Ihrem Gesprächspartner.
- Kommen Sie am Ende zu einer Entscheidung.

LESEN 4

1 **Lesen Sie die Kurzinformationen zu dem Künstler, der das linke Gebäude (Seite 51) geschaffen hat.**

Was sagt sein Name über seine Persönlichkeit?
Was stellen Sie sich unter *Fensterrecht* und *Baumpflicht* vor?

Friedensreich Hundertwasser
eigentlich Fritz Stowasser/österreichischer Maler

1928	in Wien geboren
1972	Entwurf des Plakats zur Olympiade in München
1972	verfasst das Manifest „Dein Fensterrecht – Deine Baumpflicht – Architekturmodelle für Dachbewaldung und individuelle Fassadengestaltung“
1983–1985	Entwurf und Bau des „Hundertwasser-Hauses“ in Wien
2000	gestorben

2 **Ergänzen Sie die Hauptinformationen in der rechten Spalte.**

3

Das Hundertwasser-Haus in Wien

Ein natur- und menschenfreundliches Haus: Des Malers und Architektenfeindes Friedensreich Hundertwasser Fantasie schuf es, die Gemeinde Wien erbaute die Wohnanlage im Rahmen des sozialen Wohnungsbaus. Sozial sind die Mieten allerdings nicht unbedingt zu nennen, und im Grunde wohnen Künstler in diesem Künstlerhaus, was Hundertwasser wiederum freut: „Wenn hier Privilegierte einziehen, dann ist das ein Beweis für mich, dass das Haus gut ist. Es ist doch bemerkenswert, wenn solche Leute Bereitschaft zeigen, in diese doch relativ kleinen Wohnungen einzuziehen.“ Doch auch Künstler nervt der Rummel, der um dieses Gebäude entstanden ist, denn an die 1500 Menschen pilgern täglich zu dieser umstrittenen Architektur-Attraktion Wiens.
In dem in Ziegelbauweise errichteten Komplex gibt es 50 Wohnungen, unterschiedlich groß, ein- oder zweigeschossig, für arme und reiche Mieter, mit oder ohne Garten, mit viel Sonne oder viel Schatten, mit Straßenlärm oder ruhig, mit Blick auf die Straße oder in den Hof; ein Terrassen-Café, eine Arztpraxis und ein Bio-Laden sind organisch eingefügt. Jede Wohneinheit hat ihre eigene Farbe, und ein rund fünf Kilometer langes Keramikband verläuft durch die gesamte Anlage, vereinigt die Wohnungen miteinander und trennt sie zugleich durch eine jeweils andere Farbe.
Generell verfolgte Hundertwasser die „Toleranz der Unregelmäßigkeiten“; so sind alle Ecken des Baus abgerundet und die Fenster verschieden groß, breit und hoch. Individualität ist auch im Innern angesagt, die Verfliesung[1] der Badezimmer ist uneinheitlich, der Fußboden des Wandelgangs uneben, die Wand dieses Bereiches (im unteren Teil dient sie als 500 Meter lange Mal- und Kritzelwand für Kinder) gewellt. Zwei goldene Zwiebeltürme schmücken das Gebäude, weil – laut Hundertwasser – „ein goldener Zwiebelturm am eigenen Haus ... den Bewohner in den Status eines Königs erhebt“. Ob man diese Verzierungen und das Haus insgesamt für Kunst oder Kitsch hält, muss wohl jeder für sich selbst entscheiden.

[1] Fliesen sind Platten aus Stein oder Keramik auf Wand und Boden.

Hauptinformationen

- a Architekt: Hundertwasser
- b Bauherr:
- c Bewohner:
- d Bedeutung des Hauses für Wien:
- e Größe der Wohnungen:
- f Gewerbliche Nutzung/Geschäfte:
- g Optische Besonderheiten:

3 **Würden Sie gern in diesem Haus wohnen? Warum (nicht)?**

1 Normale Wortstellung im Hauptsatz

ÜG S. 132–135

a Ergänzungen und Angaben

geben

Position 1	Position 2	Position 3, 4 ...		
wer?		wem?	wann? warum? wie? wo?	was?
Sie	*gab*	*ihrer Freundin*	*gestern zur Sicherheit schnell noch im Bus*	*ihren Stadtplan.*
Nominativ obligatorisch	Verb	Dativ obligatorisch	Angaben: temporal/kausal*/modal/lokal nicht obligatorisch	Akkusativ obligatorisch

* Wie kausale Angaben sind auch konditionale (unter welcher Bedingung?) und konzessive (mit welcher Einschränkung?) zu behandeln.

Regeln:
1. Die Satzglieder des Hauptsatzes – außer dem Verb – können an verschiedenen Stellen stehen. Das ermöglicht die Variation der Sätze. Texte werden dadurch abwechslungsreich und lesen sich flüssig.
2. Das konjugierte Verb hat eine feste Position: Position 2.
3. Das Subjekt steht auf Position 1 oder auf Position 3.
4. Im Mittelfeld (Position 3, 4 ...) gilt tendenziell:
   - Pronomen stehen direkt nach dem Verb bzw. direkt nach dem Subjekt.
   - Dativ steht vor Akkusativ. *Sie gab ihrer Freundin den Stadtplan.*
   - Pronomen stehen vor Nomen. *Sie gab ihn ihrer Freundin.*
   - Personalpronomen im Akkusativ stehen vor Dativ. *Sie gab ihn ihr.*

b Reihenfolge der Angaben

Freie Angaben stehen meist vor der Akkusativ- oder Präpositionalergänzung. Kommen mehrere vor, gilt als Faustregel: temporal vor kausal/konditional/konzessiv vor modal vor lokal (te-ka-mo-lo).

Position 1	Position 2	Position 3, 4, ...				Endposition
Wir	*sind*	*gestern* te	*wegen des schönen Wetters* ka	*gern* mo	*im Park* lo	*spazieren gegangen.*

c Das Prädikat besteht aus mehreren Teilen.

Position 1	Position 2: Verb 1	Position 3, 4 ...	Endposition: Verb 2 / Verbteil
Sie	*hat*	*ihrer Freundin den Stadtplan*	*gegeben.*
Er	*wollte*	*ihn gestern seiner Schwester*	*geben.*
Sie	*ruft*	*ihre Schwester*	*an.*
Er	*geht*	*nachmittags mit seiner Schwester*	*spazieren.*
Er	*wird*	*wieder mal kein Geld*	*haben.*
Sie	*wurde*	*überhaupt nicht*	*gefragt.*

d Position 1 im Hauptsatz

	Position 1	Position 2	Position 3, 4 ...	Endposition
Nominativ-ergänzung	*Der Blick von der Siegessäule* *Sie*	*lohnt* *können*	*jede Mühe.* *sich in der Cafeteria des Reichstags*	 *erfrischen.*
Akkusativ-ergänzung	*Ein „Berlin Ticket"*	*bekommen*	*Sie in größeren Bahnhöfen am Schalter.*	
Dativ-ergänzung	*Bekannten Gesichtern*	*begegnet*	*man vielleicht in der „Bar jeder Vernunft".*	
Präpositional-ergänzung	*An den Deutsch-Französischen Krieg von 1870/71*	*erinnert*	*die Säule am Großen Stern.*	
Freie Angaben, z.B. temporal	*Nach wenigen Minuten*	*sind*	*Sie bereits am Großen Stern.*	
Nebensatz	*Wer nach all den Sehenswürdigkeiten immer noch Unternehmungsgeist verspürt,*	*ist*	*fast schon ein Berliner.*	

3

e Das Verb auf Position 1

ÜG S. 138–143

Satztyp	Position 1	Position 2, 3 ...
(Ja-/Nein-)Frage	*Kennst*	*du Berlin?*
Befehl	*Stehen*	*Sie früh auf!*
Irrealer Wunsch	*Hätte*	*ich doch mehr Zeit!*

2 Satzverbindungen

ÜG S. 148

a Hauptsatz vor Nebensatz: Das Verb mit der Personalendung schließt den Satz ab.

	Konnektor	Nebensatz	Endposition – Verb
Ich weiß,	*dass*	*Berlin wieder Hauptstadt*	*ist.*
Ich weiß,	*was*	*ich mir in Berlin*	*ansehen will.*
Ich weiß nicht,	*ob*	*ich nach Berlin*	*reisen werde.*
Ich weiß es nicht,	*weil*	*meine Terminplanung noch nicht*	*abgeschlossen ist.*

b Nebensatz vor Hauptsatz: Verb stößt auf Verb.

Nebensatz	Hauptsatz
Während der Zug durch den Berliner Untergrund rast,	*fühlen wir uns wie in der Geisterbahn.*

c Konnektoren, die Hauptsätze verbinden: *aber, denn, doch, und, sondern, oder („adduso")*

Hauptsatz	Konnektor	Hauptsatz
Er kaufte einen Stadtplan,	*aber*	*der nützte ihm wenig.*

Kaufgespräch: Schwieriger Kunde

Eine/r von Ihnen will in diesem Geschäft ein Geschenk für einen Freund/eine Freundin oder jemanden anderen kaufen. Es fällt ihr/ihm schwer, sich zu entscheiden. Immer wieder macht der Verkäufer neue Vorschläge. Spielen Sie dieses Gespräch zu zweit.

Verkäufer/in	Kunde/Kundin
Kann ich Ihnen helfen?	Ja, ich suche ein Geschenk für ...
Wie wäre es denn mit ...?	
Für Ihre(n) ... empfehle ich ...	... nicht so geeignet, weil ...
So ein(e) ... wird auch gern als Geschenk genommen.	... wie teuer ...?
... Euro	... etwas preiswerter?
Wenn Sie nicht so viel ausgeben möchten, hätten wir noch ...	... andere Farbe? ... anderes Muster?
Ja, den/die/das gibt es auch in ...	... nicht die richtige Größe.

AB 52 2–3

WORTSCHATZ – *Einkaufen*

1 Was sehen Sie auf diesen Fotos?

2 Bilden Sie Begriffe. Es gibt mehrere Möglichkeiten.

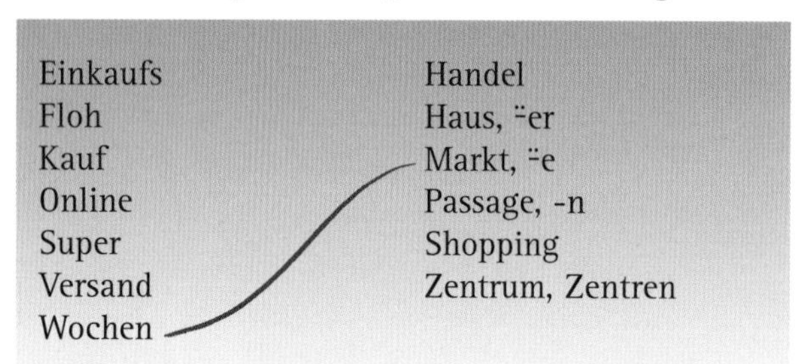

Einkaufs	Handel
Floh	Haus, ¨er
Kauf	Markt, ¨e
Online	Passage, -n
Super	Shopping
Versand	Zentrum, Zentren
Wochen	

3 Erklären Sie die Bedeutung der Begriffe.

Unter Online-Handel oder Online-Shopping versteht man das Kaufen und Verkaufen im Internet.

4 Ergänzen Sie die Begriffe in den folgenden Kurztexten.

Achten Sie auf Singular und Plural.

Discountladen – Einkaufszentrum – Einkaufspassage – Flohmarkt – Kaufhaus – Lieblingsboutique – Obst- und Gemüsehändler – Online-Shopping – Supermarkt – Versandhaus

„Otto Normalverbraucher"
Sie machen alles in Maßen. Einmal die Woche machen Sie Großeinkauf im ________ am Stadtrand. Frische Sachen kaufen Sie beim ________ oder Bäcker um die Ecke, neue Kleidung in Ihrer ________ in der Stadt. Oder Sie bestellen per Katalog bei einem ________.

Shopaholic*
Einkaufen ist für Sie eine der liebsten Freizeitbeschäftigungen. Am Abend oder am Wochenende schlendern Sie stundenlang durch ________ oder über ________. Wenn Sie einen schlechten Tag hatten, trösten Sie sich oft damit, irgendetwas zu kaufen.

* einkaufssüchtig

Einkaufsmuffel
Einkaufen ist für Sie ein Horror. Die große Auswahl des Angebots überfordert Sie. In eine ________ oder ein ________ gehen Sie nur, wenn Sie unbedingt etwas brauchen. Dagegen macht Ihnen als Computer-Spezialisten das ________ richtigen Spaß.

Schnäppchen-Jäger
Einkaufen macht Ihnen nur dann Spaß, wenn Sie das Gefühl haben, etwas billiger zu bekommen. Sie besuchen gerne Schlussverkäufe und fühlen sich von ________ magisch angezogen. Dort kaufen Sie auch schon mal Sachen, die Sie eigentlich gar nicht brauchen.

AB 53 4

5 Interview: Was für ein Einkaufstyp ist Ihr Interviewpartner?

Fragen Sie z.B.:

- a) Wann? (Wochentag, Tageszeit)
- b) Wo?
- c) Wie oft? (pro Woche, pro Monat)
- d) Mit wem? (allein – mit Mutter – mit Freundin etc.)
- e) Wie lange? (stundenlang – möglichst schnell wieder fertig sein)

Stellen Sie Ihren Interviewpartner / Ihre Interviewpartnerin in der Klasse vor.

AB 53 5

LESEN 1

1 **Preiswert einkaufen – Ist das für Sie ein Thema?**

In welchen Geschäften kaufen Sie für Ihren täglichen Bedarf (Lebensmittel, Waschmittel etc.) ein?

2 **Sehen Sie sich den Text unten an.**

a Lesen Sie nur die Überschrift und den ersten Absatz. Wie ist der Text?

- ☐ informativ / berichtend
- ☐ erzählend
- ☐ kommentierend

b Worum geht es in dem Text?

3 **Lesen Sie den Text. Unterstreichen Sie wichtige Informationen: Wer? Wo? Was? Seit wann?**

Genial einfach:

Die Erfolgsrezepte von Aldi

Billig muss es sein. Und gut. Aldi weiß genau, was die Kunden wollen. Das Aldi-Prinzip wurde oft kopiert, erreicht hat es niemand. Still und heimlich erobern Theo und Karl Albrecht die Welt. Unternehmenszahlen werden der Öffentlichkeit nicht preisgegeben, Interviews gibt es auch nicht. Blicken Sie hinter die Kulisse: So wurde Aldi erfolgreich ...

5 „Warum gründen wir nicht einen Supermarkt, der seinen Kunden einen Rabatt (Discount) auf Produkte gewährt?", dachten sich Karl und Theo Albrecht. Ja, warum eigentlich nicht? Und so machten sie 1946 aus dem elterlichen Lebensmittelladen in der Essener Vorstadt den ersten „Albrecht Discount" – kurz Aldi. Bereits nach zwei Jahren betrieben die Albrechts 13 Läden im Ruhrgebiet. Das Imperium wuchs immer schneller. Heute rangieren die Brüder laut US-Wirtschaftsmagazin „Forbes" auf dem dritten Platz der reichsten Menschen der Welt.
10 Geschätztes Vermögen: 26,8 Milliarden Euro. Dennoch leben sie bescheiden.

Während der restliche Handel zurzeit nicht mit steigenden Umsätzen und Gewinnen rechnen kann, geht es bei Aldi aufwärts. Gespart wird immer. In guten wie in schlechten Zeiten. Denn mittlerweile kaufen über 75 Prozent der Deutschen bei Aldi ein – auch Besserverdienende. Die fast 3.800 deutschen und die 2.600 ausländischen Aldi-Filialen nehmen im Jahr schätzungsweise rund 30 Milliarden Euro ein. Bei einer geschätzten Umsatzrendite
15 von fünf Prozent verdient Aldi jährlich 1,5 Milliarden Euro.

Die Erfolgsstory Aldi basiert auf einem einfachen Prinzip: Alles ist einfach. Es gibt „nur" rund 600 verschiedene Basisartikel. Der Warenumschlag ist schnell, die Produkte werden in Kartons ausgelegt und die Anordnung ist in allen Filialen gleich. Bescheiden müssen auch die Aldi-Chefeinkäufer bleiben: Einladungen und Geschenke von Lieferanten sind tabu.

20 Die Umschlagsgeschwindigkeit von Aldi-Artikeln ist extrem hoch. Entsprechend gut ist die Versorgung der Filialen organisiert. Dreh- und Angelpunkt für den Warenumschlag sind 65 Zentrallager in Deutschland, jedes so groß wie fünf bis sechs Fußballfelder.

Teure Werbekampagnen sind bei Aldi nicht nötig, weil Aldi auch so funktioniert. Angeblich hat die Aldi-Kette in ihrer Firmengeschichte noch keinen einzigen Cent für Werbeagenturen ausgegeben. Die Konkurrenz staunt –
25 und rauft sich die Haare. Ganz ohne Werbung kommt aber auch Aldi nicht aus. Einmal wöchentlich schaltet der Discounter Anzeigen in Zeitungen mit der Überschrift: „Aldi informiert". Das klingt zwar eher wie eine amtliche Bekanntmachung, passt aber zum Aldi-Prinzip: Auf den Preis kommt es an.

Im Norden Deutschlands stets am Mittwoch, im Süden am Montag und Donnerstag – der Aldi-Tag sorgt für lange Warteschlangen vor Ladenöffnung. Denn jeder kennt den Aldi-Satz: „Sollten diese Artikel allzu schnell
30 ausverkauft sein, bitten wir um Ihr Verständnis." Mit diesen immer wiederkehrenden Angebotstagen sorgt Aldi ohne großen Aufwand für Aufmerksamkeit. Die Kundschaft freut sich Woche für Woche. Und mittlerweile gehört es fast schon zum guten Ton, mit Kollegen über aktuelle Aldi-Schnäppchen zu plaudern.

Aldi setzt auf Qualität zum günstigen Preis. Obwohl der Discounter keine Markenprodukte im Sortiment hat, gibt es eine Reihe von Aldi-Waren, die in Untersuchungen von Verbraucherschützern mit „gut" oder „sehr gut"
35 benotet werden. Das verwundert kaum. Angeblich bleiben Produkte nicht im Sortiment, wenn sie nicht mindestens mit „befriedigend" abschneiden. Dass die Qualität hoch ist, liegt auch an den Markenherstellern, die sich hinter einigen Billig-Produkten verbergen. Die Kunden freut's.

4 Ergänzen Sie die Informationen.

a Wem gehört die Supermarkt-Kette? Den Brüdern Theo und Karl Albrecht.
b Wann eröffneten sie den ersten Laden? ____
c Wie hieß der Laden damals? ____
d Wofür steht der Name „Aldi"? ____
e Wer kauft bei Aldi? ____
f Wo gibt es Aldi-Geschäfte? ____
g Wie viele Geschäfte gibt es in Deutschland? ____
h Wie viele verschiedene Waren kann man in einer Aldi-Filiale kaufen? ____
i Wie macht Aldi Werbung? ____
j Wie sorgt Aldi für Qualität beim Angebot? ____

AB 53 6–7

5 Gibt es etwas Ähnliches wie Aldi auch bei Ihnen? Berichten Sie.

GR 6 Unterstreichen Sie im Text Sätze mit *nicht* und ordnen Sie diese zu.

nicht steht:	Beispiel
nach Dativergänzungen und bestimmten Akkusativergänzungen	Unternehmenszahlen werden der Öffentlichkeit nicht preisgegeben.
vor dem 2. Verbteil (auch vor Nomen, die zum Verb gehören)	
vor der unbestimmten Akkusativ-Ergänzung	
vor der Präpositionalergänzung	
vor der lokalen Ergänzung	
vor der qualitativen Ergänzung: *sein* + Adjektiv	
vor dem Satzteil, der verneint wird	

GR 7 Verneinen Sie folgende Sätze aus dem Text mit *nicht*.

Bestimmen Sie, zu welcher der Kategorien in Aufgabe 6 die Sätze jeweils gehören.

a Blicken Sie hinter die Kulisse. (Z.3)
b Die Erfolgsstory Aldi basiert auf einem einfachen Prinzip. (Z.16)
c Der Warenumschlag ist schnell. (Z.17)
d Bescheiden müssen auch die Aldi-Chefeinkäufer bleiben. (Z.18)
e Das passt aber zum Aldi-Prinzip. (Z.27)
f Auf den Preis kommt es an. (Z.27)
g Es freut die Kunden. (Z.37)

AB 54 8–10

1 **Haben Sie schon einmal etwas im Internet gekauft? Erzählen Sie.**

2 **Sehen Sie sich den Text im Kasten unten an.**

Wer schreibt wann an wen zu welchem Anlass?

3 **Schreiben Sie den Buchstaben der folgenden Tipps zu den passenden Stellen in der E-Mail.**

a Eine handschriftliche Unterschrift ist bei E-Mails nicht möglich.
b Geben Sie einen Betreff an. Der sollte kurz und klar sein, sonst landet Ihre E-Mail vielleicht gleich im Papierkorb.
c Lesen Sie Ihren Text vor dem Abschicken unbedingt Korrektur. Es kann sich immer einmal ein Tippfehler einschleichen.
d Schreiben Sie präzise mit allen nötigen Daten.
e Verwenden Sie eine Anrede wie im Brief. Schreiben Sie nicht nur „Hallo".
f Verwenden Sie eine Grußformel wie im Brief.

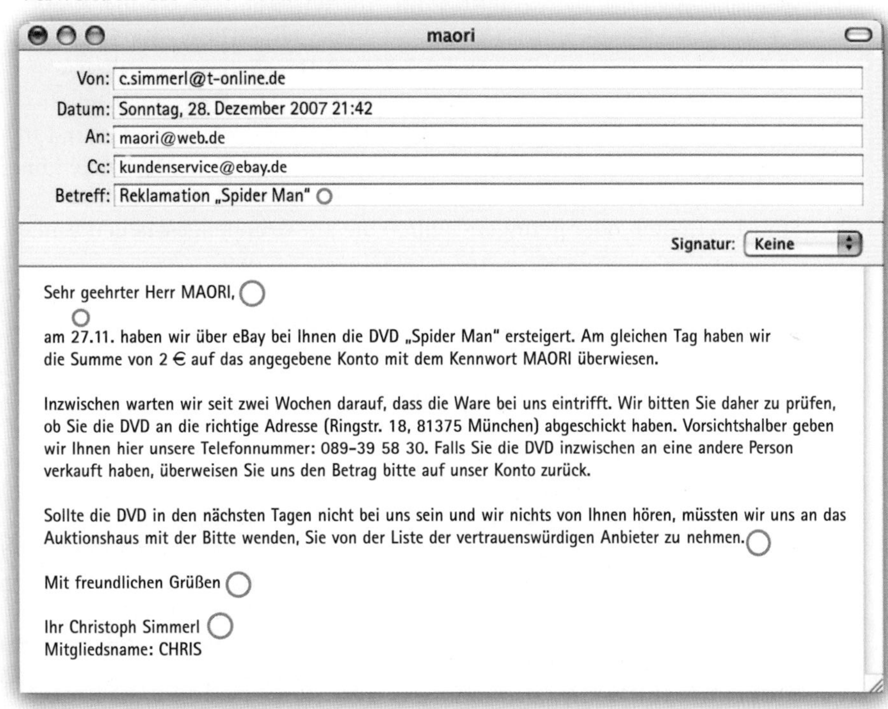

maori

Von: c.simmerl@t-online.de
Datum: Sonntag, 28. Dezember 2007 21:42
An: maori@web.de
Cc: kundenservice@ebay.de
Betreff: Reklamation „Spider Man" ○

Signatur: Keine

Sehr geehrter Herr MAORI, ○

○
am 27.11. haben wir über eBay bei Ihnen die DVD „Spider Man" ersteigert. Am gleichen Tag haben wir die Summe von 2 € auf das angegebene Konto mit dem Kennwort MAORI überwiesen.

Inzwischen warten wir seit zwei Wochen darauf, dass die Ware bei uns eintrifft. Wir bitten Sie daher zu prüfen, ob Sie die DVD an die richtige Adresse (Ringstr. 18, 81375 München) abgeschickt haben. Vorsichtshalber geben wir Ihnen hier unsere Telefonnummer: 089-39 58 30. Falls Sie die DVD inzwischen an eine andere Person verkauft haben, überweisen Sie uns den Betrag bitte auf unser Konto zurück.

Sollte die DVD in den nächsten Tagen nicht bei uns sein und wir nichts von Ihnen hören, müssten wir uns an das Auktionshaus mit der Bitte wenden, Sie von der Liste der vertrauenswürdigen Anbieter zu nehmen. ○

Mit freundlichen Grüßen ○

Ihr Christoph Simmerl ○
Mitgliedsname: CHRIS

AB 55 11

4 **Ordnen Sie den Textsorten die passende Definition zu.**

Ein Bericht	bestätigt, dass man bei einer bestimmten Firma etwas kaufen möchte.
Eine Bestellung	schildert, was passiert ist.
Eine Einladung	erklärt, dass man mit einer Ware oder Leistung nicht zufrieden ist.
Eine Reklamation	nennt Ort und Zeitpunkt z.B. eines Festes und bittet um Teilnahme.

Um was für eine Textsorte handelt es sich oben?

5 **Schreiben Sie an die Firma.**

Bei dem Online-Auktionshaus eBay haben Sie einen Computer zu einem günstigen Preis ersteigert und auch das Geld überwiesen. Aber das Gerät funktioniert nicht einwandfrei. Es kam beschädigt bei Ihnen an. Schreiben Sie eine Reklamation per E-Mail an eBay.

1 **Wann ist ein Mensch nach Ihrer Meinung arm?**

Fassen Sie die Ergebnisse der Umfrage (rechts) für eine mündliche Präsentation schriftlich zusammen. Verwenden Sie folgende Sätze:

Eine Umfrage in Österreich ergab:
Als arm gelten in Österreich nicht nur Menschen, die ...
Auch wer kein ... besitzt, ... gilt als arm.
In Armut leben heißt für ... Prozent der Befragten, ...
Für ... Prozent ist jemand arm, wenn ...

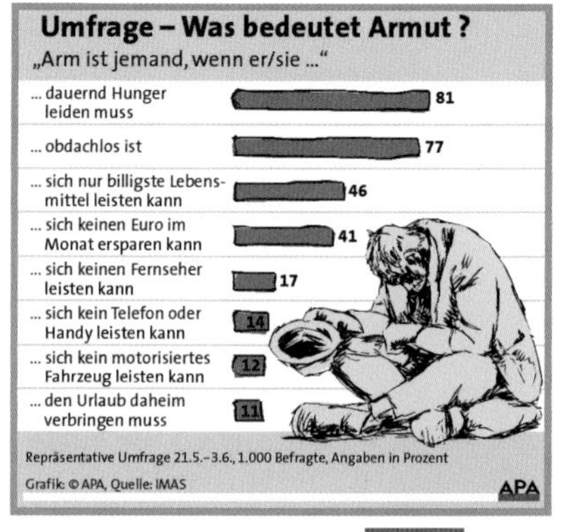

AB 55 12–13

2 **Lesen Sie den kurzen Text zum Thema „Armut“.**

Kinderarmut – In Deutschland ist jedes fünfte Kind arm. Das sagt der Wochenbericht des Deutschen Instituts für Wirtschaftsforschung. Rund 1,1 Millionen Kinder unter 18 Jahren können ohne Hilfe vom Staat nicht auskommen. 55 % von ihnen leben in Haushalten von Alleinerziehenden und nur 35 % in Zwei-Eltern-Familien. Kinder mit erhöhtem Armutsrisiko haben häufiger gesundheitliche Probleme oder sind in ihrer körperlichen Entwicklung zurückgeblieben. Weitere Merkmale können mangelnde körperliche Pflege, Auffälligkeiten im Spiel- und Sprachverhalten oder geringere Teilnahme am Gruppengeschehen sein.

P 3 **Präsentieren Sie Thema und Inhalt des Artikels.**

Nehmen Sie kurz persönlich Stellung.
- Welche Aussage enthält die Meldung?
- Welche Beispiele fallen Ihnen dazu ein?
- Welche Meinung haben Sie dazu?

Aussage in eigene Worte fassen
In diesem Text geht es um ...
Das heißt, ...

überleiten
Über dieses Thema wird (auch) bei uns zurzeit viel (weniger) diskutiert. Denn: ...

Beispiele nennen
Ich persönlich kenne (auch / keine) Fälle. Aber ich habe schon öfters in den Medien davon gehört.
Vor Kurzem gab es einen interessanten Fall: ...

Eigene Meinung ausdrücken
Die Frage ist: Wie könnte man das Problem lösen?
Ich persönlich bin dafür / dagegen, dass ...
Ich finde es wichtig, dass ...

4 **Frei und strukturiert sprechen**

a) Setzen Sie sich in Dreiergruppen zusammen. Nacheinander spricht jeder über das Thema. Die anderen hören zu und machen Notizen.

b) Stellen Sie die interessantesten Beispiele und Argumente aus Ihrer Gruppe im Plenum vor.

1 **Wie viel Geld braucht man Ihrer Meinung nach mindestens zum täglichen Leben?**

2 **Sehen Sie das Foto an und lesen Sie die Bildlegende dazu.**

Was ist das Besondere an dieser Frau?
Was erwarten Sie von einem Interview mit ihr?

Heidemarie Schwermer arbeitete in Dortmund als Psychotherapeutin, bevor sie 1996 beschloss, ihr Leben zu ändern. Sie verschenkte ihr Gespartes und ihren gesamten Besitz, kündigte Wohnung und Krankenversicherung und lebt seither vom Tauschen.

3 **Hören Sie nun das Interview.**
CD 1 | 14–16

Nummerieren Sie die Reihenfolge der Themen.

- [1] Wohnen
- [ ] Benutzung von öffentlichen Verkehrsmitteln
- [ ] Essen
- [ ] Gründung der Gib-und-Nimm-Zentrale
- [ ] Verwendung des Honorars für das Buch
- [ ] Vorbild eines Tauschrings in Kanada
- [ ] Wäsche

4 **Hören Sie das Interview noch einmal in Abschnitten.**

Sind diese Aussagen über Heidemarie richtig oder falsch? Kreuzen Sie an.

			Ja	Nein
Abschnitt 1 CD 1 | 14	a	Sie ist berufstätig und verdient viel Geld.	☐	☐
	b	Sie ist arbeitslos.	☐	☐
	c	Sie hat eine eigene Wohnung, aber sie ist nie da.	☐	☐
	d	Sie bietet anderen Menschen Dienstleistungen an, z.B. Babysitten.	☐	☐
Abschnitt 2 CD 1 | 15	e	Sie hat ein Buch mit dem Titel „Das Sterntaler-Experiment" geschrieben.	☐	☐
	f	Sie fühlt sich abhängig von anderen Menschen.	☐	☐
	g	Sie besitzt keine Geldbörse.	☐	☐
	h	Sie ist nicht prinzipiell gegen Geld.	☐	☐
Abschnitt 3 CD 1 | 16	i	Sie möchte, dass andere Menschen auch auf Geld verzichten.	☐	☐

5 **Beantworten Sie diese Fragen.**

- a Was ist Heidemarie Schwermer wichtiger als Geld?
- b Wie fühlt sie sich dabei, ohne Geld zu leben?
- c Was möchte sie in der Gesellschaft bewirken?

AB 56 14–15

GR **6** **Formulieren Sie positive Sätze.**

Negativ	Beispiel	Positiv	Beispiel
nichts	Ich benutze nichts.	alles, etwas	Ich benutze alles/etwas.
kein	Sie hat keine Mehrausgaben.	einige, viele usw.	Sie hat (einige) Mehrausgaben.
nie, niemals	Eine Frau, die nie da ist.		
miss-	Mir missfällt, was wir daraus gemacht haben.		
un-	Ich empfinde mich als unabhängiger.		
ohne	Wie lebt man ohne Geld?		

LESEN 2

1 Haben Sie schon einmal eine eigene Rezension ins Internet hochgeladen? Berichten Sie.

Heidemarie Schwermer
Das Sterntaler-experiment
Mein Leben ohne Geld
50 EURO
GOLDMANN

2 Wählen Sie einen der drei Texte. Unterstreichen Sie darin Sätze, in denen Meinungen zum Ausdruck kommen.

Unsere Kunden schreiben Rezensionen

A

✧✧✧✧ **Wertvoll, wenn auch nicht konsequent**
geschrieben von: **shelfwiz**
Eine neue Perspektive zum Thema Lebensunterhalt. Durch die autobiografische Erzählweise hat man als Leser einen direkten Einblick in die Gedanken und Nöte der Autorin – was das Buch zu einer wertvollen Inspirationsquelle macht. Einziges Minus: unlogische, teilweise inkonsequente Argumentation, vor allem am Schluss. Da wird euphorisch ein Leben ohne Geld bilanziert, gleichzeitig aber von der Lust am spontanen Käsekaufen berichtet. Dann schreibt die Autorin vom ziellosen Zug- und Busfahren zwecks Meditation, nur verschweigt sie, dass Schwarzfahren hierzulande 40 Euro kostet. Insgesamt aufschlussreich, wenn auch nicht zur Nachahmung geeignet.

B

✧✧✧✧✧ **Eine ganz andere Perspektive**
geschrieben von: **Ein Kunde**
Der Gedanke löst Angst aus: Kann ich ohne Geld leben? Er löst Angst aus, vielleicht noch nicht, wenn man an den eigenen Fernseher oder die Stereoanlage denkt. Aber schon bei der Miete flippt man eigentlich aus. Und dann erst: Was wäre bei Krankheit ohne Krankenkasse, bei einem Unfall gar? Diesen Fragen musste sich die Autorin in ihrem Leben ohne Geld natürlich stellen. Sie tut es auch. Schritt für Schritt, nicht auf einmal, verändert sie ihr Leben in ein Leben ohne Geld. Das bedeutet nicht, dass jeder Leser oder jede Leserin es ihr nachtun müsste. Aber es zeigt, wie diese spezielle Frau es geschafft hat. Und es zeigt auch, dass ein Leben ohne Geld nicht einfach Armut bedeutet, sondern eine sich verändernde Weltsicht. Aus dieser neuen Sicht öffnen sich Türen.

C

✧✧✧ **Warum nicht einmal "anders" denken?**
geschrieben von: **evistie "evistie"** (Berlin)
Wohl den meisten wird, was die Verfasserin in ihrem Selbsterfahrungsbuch beschreibt, fremd bleiben. Fängt man, wie ich, aus Neugier in der Mitte an zu lesen, wo sie das bereits Praktizierte beschreibt, neigt man zum Kopfschütteln. Oft nicht wissen, wo man morgen schläft? Hunger schieben, weil gerade niemand mit der Autorin "Leistung" tauschen will? Frieren, weil keiner warme Klamotten zum Tausch gegen Leistung anbietet?
Doch wenn man, wie es sich gehört, ihre Geschichte von Anfang an liest, versteht man zumindest, was die Autorin dazu bewegt hat, so zu leben, wie sie lebt. Man möchte ihr alle Daumen drücken, dass sie ihr Projekt doch noch in die Köpfe vieler Menschen hineinbekommt. Aber die Zeiten sind nicht so, und die Menschen schon mal gar nicht, und so wird das Buch ein liebenswerter Erfahrungsbericht einer "Spinnerin" bleiben.

Link auf diese Seite · Rezension kommentieren · Eigene Rezension schreiben · Nach oben

P 3

Meinungen verstehen

Stellen Sie fest, ob die Rezensenten die folgenden Punkte positiv oder negativ/skeptisch beurteilen.

a Die Tatsache, dass Frau Schwermer den Lesern neue Ideen nahebringt.
b Frau Schwermers Darstellung der Wirklichkeit.
c Die Logik von Frau Schwermers Argumentation.
d Die Perspektive, die Menschen durch den Verzicht auf Geld erhalten können.
e Die Bereitschaft der meisten Menschen, ohne Geld zu leben.

4

In welchem Text finden Sie diese Meinung?

	A	B	C	in keinem
a Das Buch verbreitet eine Weltanschauung.	☒	☐	☐	☐
b Das Buch regt zum Nachmachen an.	☐	☐	☐	☐
c Ein Leben ohne Geld ist für die meisten Menschen keine Perspektive.	☐	☐	☐	☐
d Frau S. ist nicht ganz ernst zu nehmen.	☐	☐	☐	☐
e Frau S. lebt uns vor, wie wir alle leben sollten.	☐	☐	☐	☐
f Frau S. erklärt, warum sie ohne Geld leben möchte.	☐	☐	☐	☐
g Was Frau S. erzählt, ist nicht ganz logisch.	☐	☐	☐	☐

4

Der Kurs teilt sich in Gruppen zu je 5 bis 6 Personen.
Pro Gruppe gibt es ein Mitglied, das ohne Geld lebt. Diese „geldlose" Person verhandelt und tauscht mit den anderen Gruppenmitgliedern Dienstleistungen gegen Dinge des täglichen Bedarfs, d.h. wo sie isst, schläft etc. Am Ende präsentiert der „Geldlose" das Ergebnis seiner Verhandlungen in Form eines Wochenplans.

Montag	Dienstag	Mittwoch	Donnerstag	Freitag	Samstag	Sonntag
Essen bei Rita, dafür Babysitten	wohnen bei Uwe, dafür Auto waschen					

Gewonnen hat die Gruppe, deren Wochenplanung kompletter ist.

Rolle 1: Der „Geldlose"

Sie brauchen folgende Dinge:

täglich	wöchentlich
Essen Schlafen Wohnen	Telekommunikation Transport Freizeit: Sport, Lesen Wäsche waschen

Auftrag: Versuchen Sie, eine Woche lang durch Dienstleistungen Ihre Bedürfnisse zu befriedigen. Bieten Sie an:

Auto waschen – Babysitten – ein Haus/eine Wohnung hüten – Fahrrad reparieren – Gartenarbeit machen/Rasen mähen – Hausarbeit/Putzen/Aufräumen – Installieren eines neuen Computerprogramms – jemanden zur Schule/zum Kindergarten/zum Arzt bringen und dort abholen – Nachhilfeunterricht in ... geben – etwas vorlesen – Schnee schaufeln – Texte schreiben/eingeben – Übersetzung von Texten ins ...

Tragen Sie die Namen und Tauschaktionen in einen Wochenplan ein.

Rolle 2: Die Tauschpartner

Auftrag: Schreiben Sie zwei der folgenden Dinge, die Sie besitzen und anbieten, auf Ihre Handlungskarte.

einen gut gefüllten Kühlschrank – ein Gästezimmer – eine Waschmaschine – ein Badezimmer – ein Büro mit Telefon, Computer, Internetanschluss – einen Bibliotheksausweis – eine übertragbare Monatskarte für die öffentlichen Verkehrsmittel – eine Jahreskarte für das Schwimmbad

AB 57 16–17

Geldloser ▸◂ Tauschpartner

Hör mal, Rita. Möchtest du nicht mal wieder mit deinem Mann ins Kino gehen? Ich könnte doch mal wieder eure Kleine babysitten.

Ja, das wäre prima. Wann hättest du denn Zeit?

Am liebsten am Montag.

Gut, dann komm doch am Montagabend, so um 6. Dann kannst du mit uns zu Abend essen und danach gehe ich mit Dieter ins Kino.

Schön. Ich freue mich.

LESEN 3

1 **Welche Statussymbole wünschen sich junge Leute heutzutage? Machen Sie eine Liste.**

Welches dieser Dinge besitzen Sie persönlich? Warum/Warum nicht?

2 **Ergänzen Sie die Textzusammenfassung mithilfe des folgenden Berichts.**

Die Probleme des Jugendlichen Jan begannen im Alter von 17 Jahren. Neben der Schule jobbte er als ______ und verdiente dabei überdurchschnittlich viel Geld. Die Leute, mit denen er zusammenarbeitete, legten großen Wert auf ______ wie teure Autos. Weil er dazugehören wollte, kaufte er in teuren Boutiquen Kleidung von ______. Die Sachen selber interessierten ihn ______. Das ______ selber machte ihm Spaß. Als er sich in den Geschäften nicht mehr wohlfühlte, begann er mit dem ______-Shopping. Er kaufte Unmengen, ohne seine ______ zu bezahlen. Als eine der betrogenen Firmen Anzeige erstattet hatte, musste er sich in einer Klinik gegen seine ______ behandeln lassen. In den nächsten Wochen warten außerdem mehrere ______ auf ihn.

Kaufrausch „Packen Sie's ein. Alles!“

Jan H., 19, hat 125.000 Euro Schulden und steht demnächst wegen Betrugs vor Gericht. Weil er mit dem Einkaufen nicht mehr aufhören konnte.

Vor zwei Jahren bekam Jan zum ersten Mal feuchte Hände, als er eine Boutique betrat. „Ich konnte mich nicht entscheiden zwischen Dolce & Gabbana und Tommy Hilfiger[1], dem schwarzen Anzug und dem hellen Mantel, dem glänzenden Seidenhemd und dem Polohemd. Da habe ich einfach gesagt: Packen Sie es ein, alles.“

Voller Erregung fährt er mit seinen Tüten nach Hause. Er ist glücklich, denn er glaubt, jetzt wird er endlich von all denen bewundert, die er toll findet. Jans Chef zum Beispiel. Der war ein Jungmanager der Computerbranche und Mercedes-CLK[2]-Fahrer. Für den arbeitete der damalige Gymnasiast Jan nachmittags nach der Schule als Webdesigner. Mit 17 verdiente Jan mit diesem Schülerjob schon 2500 Euro im Monat. Als er 18 wurde, räumte ihm seine Bank einen Kredit von 12.000 Euro ein. Einfach so, nicht auf Jans Wunsch. Man kennt sich ja im Ort, die Eltern sind angesehene Leute. Jan fühlte sich damals wie ein König und verließ vor dem Abitur die Schule. „Ich war völlig berauscht vom Geldverdienen. Ich hatte nur noch mit Leuten zu tun, die sich nahezu alles leisten konnten.“ Er geht jeden Tag auf Shoppingtour. Jedes Mal, wenn er ein neues Teil in den Händen hält, spürt er den „totalen Kick“. Innerhalb weniger Wochen ist der Kleiderschrank restlos voll. Was nicht mehr hineinpasst, stapelt Jan unter seinem Bett.

So geht das einige Monate. Immer hat er Herzklopfen beim Einkaufen, doch etwas beginnt sich zu verändern: „Die Verkäuferinnen haben mich plötzlich so komisch angeguckt und sich hinter meinem Rücken komische Blicke zugeworfen. Dabei habe ich doch immer alles bezahlt.“ Irgendwann fühlt Jan sich so beobachtet, dass er keinen Laden mehr betritt. Also bestellt er per Internet, aber die Befriedigung ist nicht mehr dieselbe. Bis die Sachen bei ihm ankommen, interessieren sie ihn nicht mehr. Unausgepackt steckt er sie zu den anderen Tüten in den Keller. Rechnungen wirft er ungeöffnet in den Papierkorb. „So waren sie für mich nicht mehr vorhanden.“ Jan sagt, er sei schon immer ein Meister im Lügen und Verdrängen gewesen.

Zu der Zeit, als er süchtig per Internet bestellt, besitzt er fünf Kreditkarten. Außer teurer Kleidung ordert er nun auch DVD-Spieler, Fernseher, Telefone, Computer. Der Gerichtsvollzieher[3] kommt inzwischen regelmäßig. Das spricht sich herum bis zu den Internetfirmen, für die er arbeitet. Von nun an bleiben die Aufträge aus. Als die Onlineshops wegen der offenen Rechnungen nicht mehr liefern wollen, wendet Jan Tricks an. Er bestellt unter seinem zweiten Vornamen. Jan hat mittlerweile den Überblick verloren. Er weiß nicht, welche der Dinge in seinem Schrank er in letzter Minute noch bezahlt hat, wie viele Tüten unausgepackt im Keller stehen.

Schließlich teilt die Polizei ihm mit, dass gegen ihn mehrere Betrugsanzeigen vorliegen. Das Gericht bestimmt, dass er mit einem Psychologen sprechen muss. Der erzählt ihm, dass er an „Oniomanie“ leidet, das heißt pathologische Kaufsucht. Jan erklärt sich bereit, eine Therapie zu machen. Zur Therapie gehört das sogenannte Expositionstraining. Mit 200 Euro in der Tasche muss er in die Stadt gehen und versuchen, nichts zu kaufen. Seine Gefühle muss er protokollieren, jede noch so geringe Erregung schriftlich für den Therapeuten aufzeichnen. Obwohl Jan in einer Boutique vor Erregung feuchte Hände bekommt und die Verkäufer in längere Gespräche verwickelt, besiegt er sein Verlangen. Er kauft nichts.

Nach drei Monaten wird er aus der Klinik entlassen. Zurück in die Realität und zu den Schulden. Zurück in die Katastrophe, die er angerichtet hat. In den nächsten Wochen stehen ihm zwei Prozesse bevor.

[1] Modemarken [2] Autotyp [3] Vom Gericht bestellter Mitarbeiter, der ausstehende Zahlungen eintreibt.

3 **Um was für eine Textsorte handelt es sich hier?**

- ☐ Um einen ironischen Kommentar zum Thema „Kaufverhalten junger Leute".
- ☐ Um eine Reportage über einen Fall von Kaufzwang.
- ☐ Um einen Bericht über einen Betrugsfall.

4 **Sprechen Sie über Jans Probleme. Formulieren Sie Fragen mit verschiedenen Fragewörtern und antworten Sie.**

Beispiel: Warum kauft Jan H. so viel ein? Weil er bewundert werden will.

125.000 Euro Schulden? – Kredit von 12.000 Euro bekommen? – Die Schule ohne Abitur verlassen? – Fast täglich einkaufen gehen? – Sachen unausgepackt in den Keller stellen? – Rechnungen nicht bezahlen? – Vor Gericht gestellt werden? – Therapie machen?

5 **Konsequenzen**

Welche Strafe sollte Jan bekommen?
Wie wird sein Leben weitergehen?

6 **Tempusformen** GR S. 66/1

Unterstreichen Sie im Text weitere Beispiele.

Vergangenes	Präteritum	Vor zwei Jahren bekam Jan ...
	Perfekt	Da habe ich einfach gesagt ...
	Plusquamperfekt	Nachdem eine der betrogenen Firmen Anzeige erstattet hatte, ...
	Präsens	Voller Erregung fährt er ...

In welchem Tempus ist dieser Text überwiegend geschrieben? Warum?

GR **7** **Ergänzen Sie Präsens, Perfekt, Präteritum, Plusquamperfekt.** ÜG S. 76 ff.

Tempus-Regeln für die Schriftsprache

a In geschriebenen Texten, z.B. Berichten und Meldungen in den Medien, wird als Vergangenheitstempus normalerweise das ____________________ verwendet.

b Enthält ein schriftlicher Text wörtliche Rede, in der Vergangenes erzählt wird, verwendet man häufig ____________________ .

c Will ein Autor z.B. in einer Reportage das Geschehen besonders lebendig schildern, verwendet er zur Beschreibung von Vergangenem auch das ____________________ .

d Finden zwei Ereignisse zu unterschiedlichen Zeitpunkten in der Vergangenheit statt, bezeichnet das ____________________ das weiter zurückliegende Ereignis.

AB 57 18–19

GRAMMATIK

1 Vergangenes berichten

Tempus	Verwendung	Beispiel
Perfekt	gesprochene Sprache	*Da habe ich einfach gesagt ...*
Präteritum	Schriftsprache mündlich: bei Modalverben, bei *haben* und *sein*	*Vor zwei Jahren bekam Jan ...* *Ich konnte mich nicht entscheiden ...* *Ich war völlig berauscht, hatte nur noch mit Leuten zu tun, ...*
Plusquamperfekt	Schriftsprache – Handlungen, die vor dem Präteritum liegen	*Nachdem eine der betrogenen Firmen Anzeige erstattet hatte, wurde er vor Gericht gestellt.*
Präsens	Schriftsprache – lebendige Schilderung	*Voller Erregung fährt er ...*

2 Negation

ÜG S. 136

a Negation eines Satzes mit *nicht*

nicht **steht:**	**Beispiel**
vor dem 2. Verbteil (auch vor Nomen, die zum Verb gehören)	*Ganz ohne Werbung kommt auch Aldi nicht aus.*
vor der unbestimmten Akkusativ-Ergänzung	*Warum gründen wir nicht einen Supermarkt ...*
vor der Präpositionalergänzung	*Während der Handel zurzeit nicht mit steigenden Umsätzen und Gewinnen rechnen kann ...*
vor der lokalen Ergänzung	*Angeblich bleiben Produkte nicht im Sortiment, ...*
vor der qualitativen Ergänzung: *sein* + Adjektiv	*Teure Werbekampagnen sind bei Aldi nicht nötig.*
nach Dativergänzungen und bestimmten Akkusativergänzungen	*Unternehmenszahlen werden der Öffentlichkeit nicht preisgegeben.*

b Negation eines Satzteils mit *nicht*

nicht **steht:**	**Beispiel**
vor dem Satzteil, der verneint wird	*Aldi-Kunden müssen nicht lange (sondern nur kurz) an der Kasse stehen.* *Ich will nicht in Portugal Urlaub machen.* *Ich will in Portugal nicht Urlaub machen, sondern arbeiten.* *Nicht ich will in Portugal Urlaub machen, sondern meine Freundin.*

c Negation von Artikeln, Pronomen, Adverbien

Positiv	Negativ	Beispiel
(irgend-)ein	**kein**	*Ich habe ein Auto. Ich habe kein Auto.* *Haben wir noch Brot? Nein, wir haben kein Brot mehr.*
(irgend-)eins*	**keins***	*Nein, wir haben keins mehr.*
(irgend-)etwas	**nichts**	*Er kauft etwas/nichts.*
(irgend-)jemand	**niemand, keiner**	*Niemand versteht mich.* *Keiner liebt mich.*
immer	**nie, niemals**	*Ich wohne bei einer Frau, die immer/nie da ist.*
überall, irgendwo	**nirgendwo, nirgends**	*Ich habe überall nach meiner Brille gesucht – ich habe sie nirgends/nirgendwo gefunden.*
(fast) alles	**kaum etwas (fast) nichts**	*Ohne Brille kann ich kaum etwas/fast nichts erkennen, mit Brille sehe ich alles total scharf.*

* auch *eines, keines*

ZUKUNFT

5

1 **Sehen Sie sich das Bild eine Minute lang an.**
Schlagen Sie dann das Buch zu. Beschreiben Sie, was zu sehen war.

2 **Was hat das Bild Ihrer Meinung nach mit dem Thema *Zukunft* zu tun?**

Vielleicht gibt es in Zukunft ...
Der Künstler will damit wohl sagen, dass ...
Die beiden Figuren symbolisieren ...

1 **Welche Idee eines Erfinders ist hier wohl dargestellt?**
Wozu könnte sie dienen?

2 **Überfliegen Sie die Texte 1 bis 4.**
a Welche Prophezeiung hat welche Überschrift?
b Welche Stellungnahme aus heutiger Sicht (A bis D) passt dazu?

Überschrift	Der Mensch wird immer älter – letztlich ist er unsterblich	Fliegen statt fahren – mit Propellern auf dem Rücken in die Luft	Affen als Erntearbeiter einsetzen	Mit einer riesigen Glaskuppel eine Großstadt vor Kälte schützen
Prophezeiung	4			
heutige Sicht		A		

5

Erinnerungen an die Zukunft

Was wurde uns nicht alles prophezeit! Und zwar nicht von Science-Fiction-Autoren, sondern von seriösen Wissenschaftlern. Wo bleibt denn nun das Zeug?

Die Prophezeiungen:

1

Dies war der Wunsch einiger renommierter Wissenschaftler.
Wieso eigentlich sollen Tiere immer nur auf der faulen Haut liegen? Der Nobelpreisträger G. Thomson meinte 1955: „Die Hand des Affen stellt ein wertvolles Werkzeug dar. Denken wir an die Masse von Elektronik, die erforderlich wäre, um mit der Maschine eine Orange vom Baum zu pflücken – der trainierte Affe könnte es für eine tägliche Ration Nüsse." Möglicherweise müsste man vorher in das Erbgut der Tiere eingreifen.

2

Davon träumte der amerikanische Architekt R. Fuller, der ebenso simple wie utopische Großprojekte plante. Anfang der sechziger Jahre erregte er Aufsehen mit dem Vorschlag, eine Käseglocke über Manhattan zu stülpen. Die im Durchmesser drei Kilometer große Halbkugel mit transparenter Außenhaut sollte Unwetter, Schneemassen und Luftverschmutzung abhalten.

3

Daran glaubte der Ingenieur C. H. Zimmermann.
Ein senkrecht startendes, leichtes Fluggerät würde Menschen stehenden Fußes in die Luft heben und alle Transportprobleme lösen. 1951 unternahm man die ersten Versuche mit „Hubstrahlern" und „Fliegenden Kuchenblechen", 1954 experimentierten französische Techniker mit Rückenrotoren.

4

Das sah der Zukunftsautor A. Clarke voraus.
Nicht alle Wissenschaftler gingen so weit. Weitgehend einig waren sich die Mediziner jedoch vor einigen Jahrzehnten darüber, dass Krebs und Herzinfarkt bis 1990 besiegt wären und die Lebensdauer bis zum Jahre 2050 um 50 Jahre ansteigen würde. „Amputierte Arme und Beine werden wieder nachwachsen, denn der Mensch wird die Baupläne organisierter Zellen in der Injektionsspritze zur Hand haben", erläuterte die Zeitschrift „Der Spiegel" in einer Vorausschau im Dezember 1966. Die „Kommission 2000" erklärte: Es gibt keinen Grund für die Annahme, dass der Lebensdauer eines Menschen durch unabänderliche Faktoren Grenzen gesetzt sind.

3 Welche dieser Prophezeiungen halten Sie für die realistischste?

Die heutige Sicht:

Woran ist das gescheitert, Herr Noltemeyer?
Wir haben früher gesagt, es fliegt sogar ein Garagentor, wenn das Triebwerk stark genug ist. Technisch wäre es möglich, ein solches Fluggerät zu bauen. Zusammen mit einem kleinen Motor könnte man das Gesamtgewicht auf 40 Kilo beschränken. Gesteuert werden müsste der Helikopter durch Gewichtsverlagerung. Eine mechanische Steuerung wäre zu teuer, zu kompliziert und zu schwer. Das wirkliche Problem aber sind die Luftfahrtgesetze: In den meisten Ländern dürfen Fluggeräte nur auf öffentlichen Flugplätzen starten und landen. Und das ist auch sinnvoll. Wenn jeder so ein Ding auf den Rücken schnallt und losfliegt – das wäre ja das totale Chaos. Man bräuchte Ampeln und Verkehrspolizisten da oben – ganz zu schweigen von dem schrecklichen Lärm und der Luftverpestung.

Werner Noltemeyer, 74, ist Hubschrauberpilot und Leiter des einzigen deutschen Hubschraubermuseums in Bückeberg.

A

Warum ist daraus nichts geworden, Herr Professor Otto?
Ein technisches Problem ist es im Grunde nicht. Das habe ich schon in meiner Dissertation von 1954 nachgewiesen. Ich habe für ein Projekt in der Antarktis durchgerechnet, dass wir eine zwei Kilometer große Konstruktion problemlos bauen könnten. Die Schwierigkeiten sind ökologischer Art. Ob sich unter einer Kuppel bessere Luft erzeugen ließe, als wir sie heute in den Städten haben, ist fraglich. Und wenn, dann nur unter großem Energieaufwand. Darum halte ich es ökologisch nicht für sinnvoll, Großstädte einzukapseln.

Der Architekt Prof. Dr. Frei Otto gilt als einer der führenden Erforscher von pneumatischen Konstruktionen.

B

Was war das Problem dabei, Herr Dr. Kaumanns?
Diese Tiere sind in der Tat zu erstaunlichen Leistungen fähig. Sie wurden erfolgreich in der Raumfahrt eingesetzt, bedienen behinderte Menschen oder pflücken Kokosnüsse. Genau wie die Menschen lassen sie sich aber nur schlecht zu langweiligen Tätigkeiten motivieren. Die würden sie nicht auf Dauer zuverlässig ausführen. Außerdem ist das Training von solchen Primaten extrem zeitaufwendig und teuer. Es gerät auch schnell mit einem – inzwischen gewandelten – Bewusstsein für den Tier- und Artenschutz in Konflikt. Viele Arten sind vom Aussterben bedroht. Abgesehen davon sind stupide Tätigkeiten von computergesteuerten Maschinen billiger, zuverlässiger und schneller auszuführen.

Dr. Werner Kaumanns ist Mitarbeiter des Deutschen Primatenzentrums in Göttingen.

C

Worin lag der Irrtum, Herr Professor Schütz?
Früher haben viele Mediziner ihre Möglichkeiten überschätzt: Es gab ständig neue Entwicklungen bei Antibiotika und Hormonen, die Genforschung fing damals an. Einige glaubten, sie hätten den Stein der Weisen gefunden. Natürlich können wir heute viele Krankheiten mit mehr Erfolg bekämpfen und damit auch die Lebenserwartung steigern. In meiner Zeit als junger Arzt war eine Lungenentzündung bei alten Menschen eine lebensbedrohliche Krankheit. Das ist heute meist nicht mehr der Fall. Doch trotz aller Fortschritte ist die durchschnittliche Lebenserwartung in den letzten 100 bis 150 Jahren nur um etwa sieben Jahre gestiegen, von 71 auf 78. Das Alter ist keine Krankheit, die sich beseitigen lässt. Untersuchungen an Zellkulturen deuten darauf hin, dass die normale menschliche Lebensspanne etwa neun Jahrzehnte beträgt. Immer mehr Menschen werden dieses Alter erreichen. 120 Jahre ist die biologisch oberste Grenze. Auch die Gentherapie wird das Altern nicht stoppen.

Professor Dr. Rudolf Schütz ist Präsident der Gesellschaft für Gentechnologie und Geriatrie.

D

5

4 **Die vier Utopien wurden aus unterschiedlichen Gründen nicht verwirklicht.**

Ergänzen Sie.

(a) Theoretisch realisierbar: *das Fluggerät auf dem Rücken*
Gründe, warum das nicht verwirklicht wurde: ……………

(b) Nur schwer realisierbar: ……………
Gründe: ……………

(c) Nicht realisierbar: ……………
Gründe: ……………

GR 5

Etwas Irreales ausdrücken

GR S. 80/81

a) Welche sprachliche Form drückt in den Texten aus, dass es sich um Ideen handelt, die nicht verwirklicht worden sind?

- ☐ indirekte Rede
- ☐ Futur
- ☐ Konjunktiv II
- ☐ Konjunktiv I
- ☐ Indikativ
- ☐ Imperativ

b) Unterstreichen Sie im Text alle Formen, die etwas Irreales ausdrücken. Ordnen Sie die Formen zu.

Verben im Konjunktiv II	Umschreibung mit *würde*
wäre	würde ... heben

GR 6

Utopien entwickeln sich meist aufgrund eines Wunsches.

Man will zum Beispiel:

- bequemer leben
- Krankheiten bekämpfen
- Naturkatastrophen verhindern
- sein Leben verlängern
- nicht so schwer arbeiten
- sich schneller bewegen

Überlegen Sie sich für jeden dieser Wünsche eine Erfindung. Formulieren Sie Ihre irrealen Projekte im Konjunktiv II.
Beispiel: Wenn man Roboter hätte, würde man sich viel Arbeit sparen.

AB 62 2–5

GR 7

Verweiswörter im Text

GR S. 82

a) Mit welchem Wort beginnen die Prophezeiungen und wie lautet das passende Verb dazu?

Verweiswort	Verb
Dies	war

b) Was ist die gemeinsame Funktion dieser vier Verweiswörter?

- ☐ Sie hängen alle von einem Verb mit Präposition ab.
- ☐ Sie lassen sich alle durch das Pronomen *es* ersetzen.
- ☐ Sie beziehen sich alle auf einen ganzen Satz.

c) Wie lauten die Fragewörter in den Fragen an die Experten? Ergänzen Sie die Verben und – wenn vorhanden – auch die Präpositionen.

Fragewort	Verb	Präposition
woran	scheitern	an

d) Welche dieser Fragewörter bildet man nach der gleichen Regel?
Die Regel lautet: .... + (r) + ...
Die Präposition hängt vom .... ab.

GR 8

Worauf bezieht sich jeweils das Pronomen *es* in den folgenden Sätzen?

- *Technisch wäre es möglich, ein solches Fluggerät zu bauen.*
- *Darum halte ich es ökologisch nicht für sinnvoll, Großstädte einzukapseln.*

AB 63 6–9

SPRECHEN

1 Ratschläge zur Lebenshilfe

Setzen Sie sich in Gruppen zu dritt oder zu viert zusammen. Eine Person aus der Gruppe wählt eines der vier Situationskärtchen, auf denen jeweils ein Problem formuliert ist. Die anderen sollen Ratschläge erteilen.

Situation 1

Sie leben mit einem guten Freund in einer Wohngemeinschaft. Da Ihr Freund eine Schwäche für exotische Tiere hat, plant er, sich bald eine Schlange als Haustier zuzulegen.

Situation 2

Ihre 90-jährige Großtante bietet Ihnen an, Sie als Erbe für ihr Haus einzusetzen, wenn Sie bereit sind, sich dreimal pro Woche abends um sie zu kümmern. Außerdem sollten Sie jedes zweite Wochenende für sie Zeit haben.

Situation 3

Ihr Chef bietet Ihnen eine leitende Position in einer Zweigstelle der Firma an. Diese befindet sich allerdings in einer anderen Stadt. Sie würden besser verdienen, hätten natürlich auch größere Verantwortung und mehr Arbeit.

Situation 4

Ihre Partnerin/Ihr Partner will im nächsten Urlaub unbedingt eine ganz besondere Reise machen. Sie/Er hat vor, die Insel Madagaskar mit dem Fahrrad zu erkunden, und möchte, dass Sie mitkommen.

5

2 Ratsuchende und Ratgebende – Gesprächsvorbereitung

Die Ratsuchenden überlegen, worin bei der gewählten Situation für sie genau das Problem liegt – zum Beispiel Angst vor Schlangen und Ähnliches. Die Ratgebenden überlegen, welche Ratschläge sie geben könnten. Für das nun folgende Gespräch verwenden Sie bitte einige der aufgeführten Redemittel.

Ratsuchende

Ich habe folgendes Problem: Mein ... plant/schlägt vor/will unbedingt ...
Aber für mich ist das .../Ich finde das ...
Außerdem soll ich ...
Was soll ich denn bloß ...?
Ich weiß überhaupt nicht, ...
Was würdest du in meiner Situation tun?

Ratgebende

An deiner Stelle würde ich ...
Wäre es wirklich so schlimm, ... zu ...?
Wie wäre es, wenn du zunächst einmal versuchst, ...?
Vielleicht könntest du auch ...

3 Präsentieren Sie einige gelungene Gespräche im Kurs.

1 Eine Geschichte

Wählen Sie unter folgenden Begriffen einige aus und erfinden Sie jeweils zu dritt eine Geschichte dazu. Sie haben zehn Minuten Zeit.

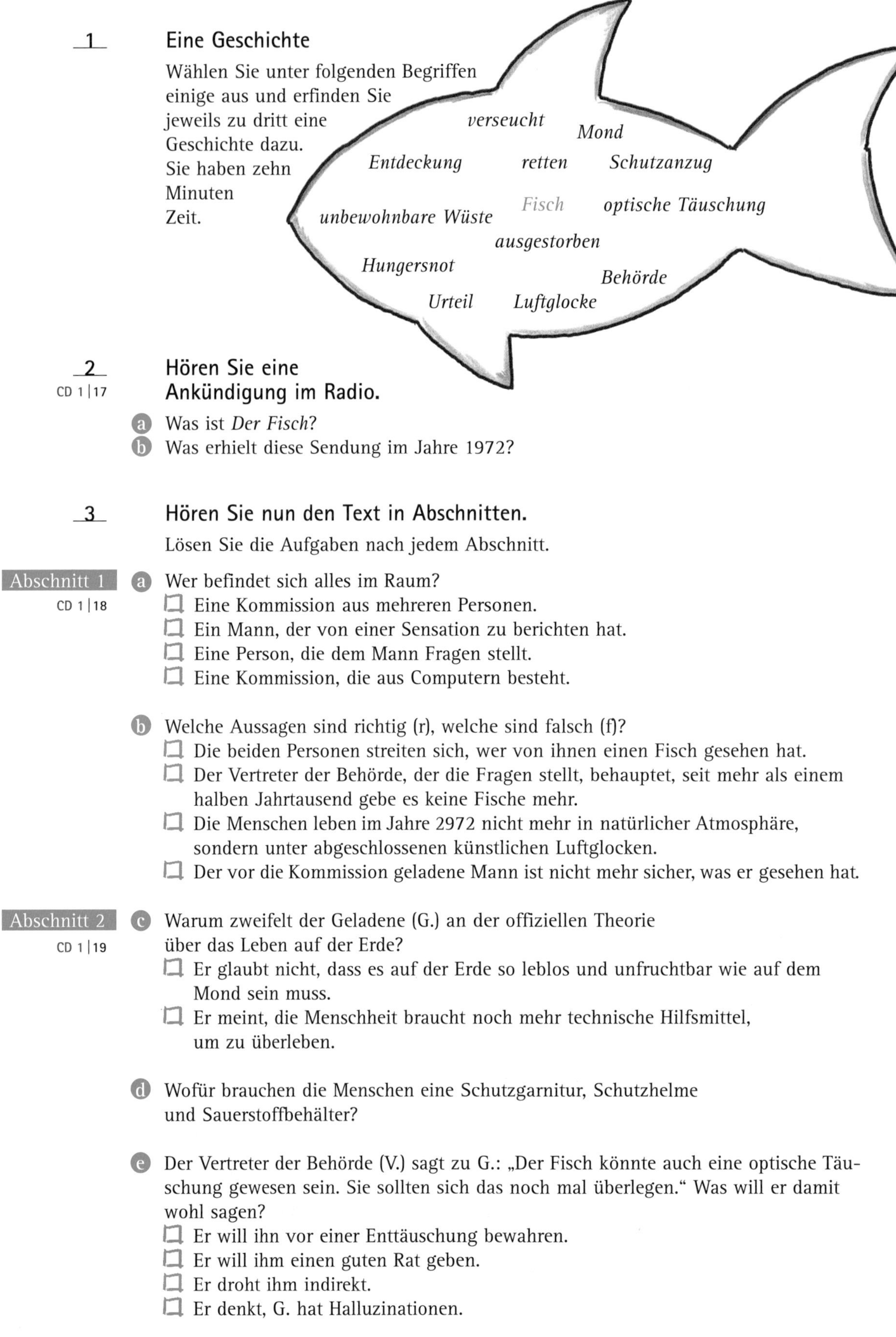

2 Hören Sie eine Ankündigung im Radio.

CD 1 | 17

a Was ist *Der Fisch*?
b Was erhielt diese Sendung im Jahre 1972?

5

3 Hören Sie nun den Text in Abschnitten.

Lösen Sie die Aufgaben nach jedem Abschnitt.

Abschnitt 1
CD 1 | 18

a Wer befindet sich alles im Raum?
- ☐ Eine Kommission aus mehreren Personen.
- ☐ Ein Mann, der von einer Sensation zu berichten hat.
- ☐ Eine Person, die dem Mann Fragen stellt.
- ☐ Eine Kommission, die aus Computern besteht.

b Welche Aussagen sind richtig (r), welche sind falsch (f)?
- ☐ Die beiden Personen streiten sich, wer von ihnen einen Fisch gesehen hat.
- ☐ Der Vertreter der Behörde, der die Fragen stellt, behauptet, seit mehr als einem halben Jahrtausend gebe es keine Fische mehr.
- ☐ Die Menschen leben im Jahre 2972 nicht mehr in natürlicher Atmosphäre, sondern unter abgeschlossenen künstlichen Luftglocken.
- ☐ Der vor die Kommission geladene Mann ist nicht mehr sicher, was er gesehen hat.

Abschnitt 2
CD 1 | 19

c Warum zweifelt der Geladene (G.) an der offiziellen Theorie über das Leben auf der Erde?
- ☐ Er glaubt nicht, dass es auf der Erde so leblos und unfruchtbar wie auf dem Mond sein muss.
- ☐ Er meint, die Menschheit braucht noch mehr technische Hilfsmittel, um zu überleben.

d Wofür brauchen die Menschen eine Schutzgarnitur, Schutzhelme und Sauerstoffbehälter?

e Der Vertreter der Behörde (V.) sagt zu G.: „Der Fisch könnte auch eine optische Täuschung gewesen sein. Sie sollten sich das noch mal überlegen." Was will er damit wohl sagen?
- ☐ Er will ihn vor einer Enttäuschung bewahren.
- ☐ Er will ihm einen guten Rat geben.
- ☐ Er droht ihm indirekt.
- ☐ Er denkt, G. hat Halluzinationen.

hoffnungsvoll
begeisterungsfähig
kalt
drohend
machtbewusst
nüchtern
erstaunt
schockiert
ahnungslos
ehrlich
autoritär
gefühllos

Abschnitt 3
CD 1 | 20

(f) Ordnen Sie die Adjektive den beiden Personen zu (V. = Vertreter der Behörde, G. = Geladener).

(g) Warum ist der Fisch für G. eine „ungeheure Hoffnung"?

(h) V. ist von der Entdeckung des Fisches gar nicht begeistert. Was behauptet er über das Leben der heutigen Menschen?

(i) Was glauben Sie? Warum soll der Fisch aus dem Gedächtnis von G. gelöscht werden?

Abschnitt 4
CD 1 | 21

(j) G. sagt: „Ich Idiot! Allmählich beginne ich zu begreifen." Was meint er damit?
- ☐ Er hat endlich verstanden, dass seine Entdeckung für die Behörde unbequem ist.
- ☐ Er ist froh. Er hat lange gebraucht, um zu verstehen, dass die Fische am Strand künftig beobachtet werden und sein Fall endlich erledigt wird.

(k) Was bedeutet wohl die „Revision des Urteils nach Kennziffer 15"?

Abschnitt 5
CD 1 | 22

(l) Wie lautet das Urteil?

(m) Was passiert mit G.? Warum?

AB 64 10–11

5

4 Hören Sie das Hörspiel nun noch einmal ganz.

CD 1 | 18–22

Welche der folgenden Aussagen ist Ihrer Meinung nach richtig? Begründen Sie Ihre Meinung.
- ☐ Das Hörspiel hat mit der heutigen Realität nichts zu tun.
- ☐ Es spricht bereits bestehende Probleme an und verdeutlicht sie durch eine Zukunftsvision.
- ☐ Ähnliche Lebensbedingungen wie im Hörspiel könnten bald auf der Erde herrschen.
- ☐ Die Problematik ist veraltet, da das Hörspiel vor über 30 Jahren geschrieben wurde.

5 Warum hat der Autor gerade das Jahr 2972 für die Handlung gewählt?

AB 65 12

GR 6 Sätze mit *als ob*

GR S. 81, 2c

Beispiel: Auf der Erde ist natürliches Leben wieder möglich.
Aber der Vertreter der Behörde tut so, als ob natürliches Leben auf der Erde nie wieder möglich wäre.

Formulieren Sie die folgenden Aussagen nach diesem Muster.

(a) Der Geladene hatte den Fisch wirklich gesehen. *Aber V. tut so, als ob* ...
(b) Die Menschen brauchen die Vorschriften der Behörde in Wirklichkeit nicht.
(c) Das Leben unter Glasglocken ist eintönig und unbefriedigend.
(d) Die Entdeckung des Fisches bedeutet eine große Gefahr für die Macht der Behörde.

AB 65 13–14

5

1 Radiokritik

Das Science-Fiction-Hörspiel *Der Fisch* wurde im Rundfunk gesendet. Verfassen Sie dazu nun einen Kommentar für eine deutschsprachige Schülerzeitung. Geben Sie zunächst ein paar allgemeine Informationen, fassen Sie den Inhalt in einigen Sätzen zusammen und interpretieren Sie, was mit dem Hörspiel ausgesagt werden soll. Machen Sie schließlich Ihre eigene Meinung deutlich. Verwenden Sie beim Schreiben einige der folgenden Redemittel.

worüber ich etwas schreiben will	wie ich es ausdrücken kann
■ was für eine Sendung	***... ein Hörspiel aus dem Jahr ...*** ***... ersten Preis in einem Hörspielwettbewerb ...***
■ welche Handlung	***... spielt im Jahr ..., also genau ...*** ***Das Hörspiel besteht hauptsächlich aus einem Dialog zwischen ...*** ***Neben den beiden Personen spielen ... eine Rolle. Sie ...*** ***Es handelt von ... (davon, dass ...)*** ***Das Stück bietet ...***
■ welche Aussage/Bedeutung	***Hier wird eine Zukunftsvision entworfen, das heißt ...*** ***Der Fisch steht als Symbol für ...*** ***Der Entdecker des Fisches ist eine ... Figur, da ...*** ***Der Vertreter der Behörde stellt ... dar.*** ***Die Computer symbolisieren ...***
■ Bewertung	***Das Hörspiel ist meiner Meinung nach ...*** ***... eine gelungene Vision ...*** ***... eine allzu übertriebene Darstellung ...*** ***Die Handlung finde ich ...*** ***... nicht besonders einfallsreich.*** ***... spannend, weil man sich gut in die Rolle des Geladenen versetzen kann.***

2 Korrigieren Sie Ihren Text nach dem Schreiben.

Kontrollieren Sie

a beim ersten Lesen, ob Sie alle vier Punkte angesprochen haben.
b beim zweiten Lesen alle Verben: Numerus, Tempus, Stellung im Satz.
c beim dritten Lesen alle Adjektive und Nomen.
d Überprüfen Sie auch,
- ob die Handlung so dargestellt ist, dass ein Leser, der das Hörspiel nicht kennt, sie nachvollziehen kann.
- ob Ihre Meinung über das Hörspiel deutlich wird.

AB 66 15

1 Noch rechtzeitig oder schon zu spät?

Wie beurteilen die Menschen in Ihrem Heimatland folgende Situationen? Diskutieren Sie zuerst mit Ihrer Lernpartnerin / Ihrem Lernpartner, danach in der Klasse.

a) Die Unterrichtsstunde beginnt laut Stundenplan um neun Uhr. Der Teilnehmer X trifft ungefähr drei Minuten später ein.
b) Sie haben sich mit einem Freund/einer Freundin in einem Café für acht Uhr verabredet. Er/Sie kommt um Viertel nach acht.
c) Sie sind zu einem Vorstellungsgespräch in einer Firma um 14 Uhr eingeladen. Sie kommen um 14.05 Uhr.
d) Sie kommen fünf Minuten nach dem offiziellen Beginn der Arbeitszeit ins Büro.
e) Sie sind zum ersten Mal zum Abendessen bei der Familie eines Freundes oder Kollegen eingeladen. Sie haben sich für 20 Uhr verabredet und kommen etwa 25 Minuten später.
f) Laut Fahrplan kommt der Zug um 16.30 Uhr an. Er läuft um 16.34 Uhr im Bahnhof ein.

2 Sie unterhalten sich mit Freunden darüber, wie oft Sie ins Kino gehen.

Beispiel: *Ich gehe regelmäßig ins Kino.* Oder: *Ich gehe selten ins Kino.*

a) Bringen Sie die Wörter in eine Reihenfolge zwischen *immer* und *nie*. Verteilen Sie dazu Nummern von 8 bis 1.
b) Welche Bedeutung haben diese Angaben für Sie?

Adverb	Reihenfolge	Bedeutung
immer	8	
selten		
häufig		
manchmal		
gelegentlich		
ständig		
regelmäßig		z.B. einmal im Monat
nie	1	

3 Welches Wort bzw. welcher Ausdruck passt nicht?

a) demnächst – gestern – neulich – vor einer Woche – vor Kurzem
b) bald – damals – morgen – nächste Woche – zukünftig
c) gerade – heute – im Augenblick – jetzt – kürzlich
d) halbjährlich – monatlich – pünktlich – stündlich – täglich

AB 66 16–18

4 In welcher Situation sagt man das?

Ordnen Sie die Ausdrücke den zwei „Lebensweisen“ (schnell/langsam) zu.

AB 67 19

Ausdruck	Situation/Erklärung	Lebensweise	
		schnell	langsam
Es ist höchste Zeit.	Man ist schon spät dran.	X	
Kommt Zeit, kommt Rat.			
Lass dir ruhig Zeit!			
Dem Glücklichen schlägt keine Stunde!			
Zeit ist Geld.			
Das ist ja reine Zeitverschwendung!			

LESEN 2

1 **Sehen Sie sich das Titelbild an.**
Wovon könnte der Roman handeln?

2 **Für welchen Kulturkreis ist der Roman geschrieben?**
Lesen Sie dazu den sogenannten Klappentext, d.h. die Zusammenfassung auf dem Umschlag des Buches.

Ein Mandarin aus dem China des 10. Jahrhunderts versetzt sich mithilfe eines Zeitkompasses in die heutige Zeit. Er überspringt nicht nur tausend Jahre, sondern landet auch in einem völlig anderen Kulturkreis: in einer modernen Großstadt, deren Name in seinen Ohren wie Min-chen klingt und die in Bayan liegt. Verwirrt und wissbegierig stürzt sich Kao-tai in ein Abenteuer, von dem er nicht weiß, wie es ausgehen wird. In Briefen an seinen Freund im Reich der Mitte schildert er seine Erlebnisse und Eindrücke, erzählt vom seltsamen Leben der „Großnasen", von ihren kulturellen und technischen Leistungen und versucht, Beobachtungen und Vorgänge zu interpretieren, die ihm selbst zunächst unverständlich sind.

3 Warum wählt der Autor wohl diese „fremde Perspektive"?

4 Lesen Sie nun den *dritten Brief.*

5

Geliebter Freund Dji-gu

... Die Reise selber verlief ganz ohne Schwierigkeiten und war das Werk eines Augenblicks. Unsere vielen Experimente haben sich gelohnt. Nachdem ich Dich auf jener kleinen Brücke über den „Kanal der blauen Glocken" – die wir als den geeignetsten Punkt ausgesucht und errechnet hatten – umarmt und alles getan hatte, was notwendig war, war es mir, als höbe mich eine unsichtbare Kraft in die Höhe, wobei ich gleich-
5 zeitig wie von einem Wirbelwind gedreht wurde. Ich sah noch Dein rotes Gewand leuchten, dann wurde es Nacht. Einen Augenblick danach saß ich, natürlich etwas benommen, auf eben der Brücke; aber es war alles anders. Kein einziges Gebäude, keine Mauer, kein Stein von dem, was ich eben noch gesehen hatte, war noch vorhanden. Ungeheurer Lärm überfiel mich. Ich saß am Boden neben meiner Reisetasche, die ich krampfhaft festhielt. Ich sah Bäume. Es war – es ist – Sommer wie vor tausend Jahren. Eine fremde Sonne schien über
10 dieser Welt, die so sonderbar, so völlig unbegreiflich ist, daß ich zunächst gar nichts wahrnahm. Ich saß da, hielt meine Reisetasche fest, und wenn ich gekonnt hätte, wäre ich sofort wieder zurückgekehrt. Aber Du weißt, das geht nicht.
Die Brücke, auf der ich erwachte oder ankam, ist ganz anders als die Brücke, auf der ich Dich verließ. Sie ist nicht mehr aus Holz, sondern aus Stein, offensichtlich ziemlich lieblos zusammengefügt. Alles „hier" ist lieb-
15 los gemacht. Ich dachte: Zum Glück haben die nach tausend Jahren immer noch eine Brücke an derselben Stelle. Es hätte ja sein können, daß sie, nachdem die alte Holzkonstruktion verfault oder sonst zusammengebrochen war, den neuen Übergang etwas weiter oben oder unten errichtet hätten. Dann wäre ich ins Wasser gefallen, was natürlich unangenehm, aber nicht gefährlich gewesen wäre, denn der „Kanal der blauen Glocken" ist längst nicht mehr so tief, wie Du ihn kennst, allerdings äußerst schmutzig. So ziemlich alles hier
20 ist äußerst schmutzig. Schmutz und Lärm – das beherrscht das Leben hier. Schmutz und Lärm ist der Abgrund, in den unsere Zukunft mündet.
...
Ich richtete mich also auf, stellte meine Reisetasche ab und schaute mich um. ... Es näherte sich, erschrick nicht, ein Riese. Er war ganz in komische graue Kleider gehüllt, die völlig unnatürlich waren, hatte eine
25 enorm ungesunde bräunliche Gesichtsfarbe und als auffallendstes eine riesige, eine unvorstellbar große Nase; mir schien, seine Nase mache die Hälfte des Körpervolumens aus. Der große Fremde blickte aber, wie mir schien, nicht unfreundlich. Er wollte über die Brücke gehen, blieb jedoch stehen, als er mich sah.

5 Wie geht der Text weiter?

a Was glauben Sie? Was wird der „Riese“ wohl jetzt machen?
b Vergleichen Sie Ihre Ideen mit der Fortsetzung des Textes.

Ich kann das Mienenspiel unserer Nachfahren noch nicht richtig deuten. (Sie sind uns so unähnlich, daß ich mich frage: Sind sie es wirklich? Wirklich unsere Nachfahren, unsere Enkel?) Ich lerne auch erst, ihre Ge-
30 sichter zu unterscheiden. Das ist sehr schwer, denn sie sehen alle gleich aus und haben alle gleich große Nasen. Daß jener Riese – oder jene Riesin, auch das Geschlecht ist kaum zu unterscheiden –, der erste Mensch, den ich nach meiner Reise von tausend Jahren sah, keine drohende Haltung einnahm, glaubte ich zu erkennen. Vermutlich war er so erstaunt, mich zu sehen, wie ich ihn. Ich ging auf ihn zu, verbeugte mich und fragte: „Hoher Fremdling, oder hohe Fremdlingin! ... Kannst du mir sagen, ob hier einst das Gartenhaus
35 meines Freundes, des erhabenen Mandarins Dji-gu, stand?“
Der Riese verstand aber offensichtlich nichts von meiner Rede. Er sagte etwas in einer mir völlig unverständlichen Sprache, das heißt: er brüllte mit so tiefer Stimme, daß es mich fast über das Brückengeländer warf, und ich hätte sofort die Flucht ergriffen, wenn sich nicht inzwischen eine größere Anzahl weiterer Riesen angesammelt hätte, die mich alle anstarrten. Ich war ganz verzweifelt. Wenn ich gekonnt hätte, wäre ich
40 sofort wieder in die Vergangenheit – in Deine und meine Gegenwart – geflüchtet. Aber das geht ja nicht. Ich muß ausharren. Es ist auch gut so, denn das ist der Zweck meiner Reise. So umklammerte ich meine Reisetasche und fragte sie alle: „Ist nicht einer unter euch, der die Sprache der Menschen versteht?“ Es war keiner dabei.
... Der Zeitpunkt ist gekommen, um diesen Brief an den Kontaktpunkt zu legen. Ich schließe deshalb für
45 heute. Es umarmt seinen geliebten Dji-gu

sein Freund Kao-tai

5

6 Beantworten Sie folgende Fragen in Stichpunkten und geben Sie die Textstellen an.

Frage	Antwort	Textstellen (Zeilen)
a Wo beginnt die Reise, wo endet sie?	auf einer Brücke an einem Fluss	Z. 2/3 und 6
b Was sieht der Reisende bei seiner Ankunft?		
c Was berichtet er von der Brücke?		
d Wem begegnet er gleich nach der Ankunft?		
e Wie sieht die Person in den Augen des Erzählers aus?		
f Wie verläuft die Kontaktaufnahme?		
g Warum ist Kao-tai am Ende verzweifelt?		

7 Was könnte der „Riese“ zu Kao-tai gesagt haben?

Formulieren Sie einige Fragen und Bemerkungen.

8 Verfassen Sie einen Antwortbrief an Kao-tai.

Dji-gu, der Freund des zeitreisenden chinesischen Mandarins, erhält den Brief. Einerseits ist er erfreut über das gelungene Experiment, andererseits aber besorgt um seinen geliebten Freund Kao-tai.

Geliebter Freund Kao-tai,
soeben habe ich Deinen Brief an meinem Kontaktpunkt gefunden.
Bitte sei nicht verzweifelt. ...
In Gedanken begleitet seinen geliebten Kao-tai
sein Freund Dji-gu

GR 9

„Wortketten"

GR S. 82, 3a,c

Ab Zeile 23 wird die Begegnung mit dem „Riesen" thematisiert.

(a) Unterstreichen Sie im Text alle Nomen und Pronomen für diese Person und ergänzen Sie die „Wortkette": *ein Riese – er – der große Fremde – ...*

(b) Suchen Sie eine weitere „Wortkette" im zweiten Absatz (Zeile 13–21).

AB 68 20–21

GR 10

Unterstreichen Sie alle Verben im zweiten Absatz (Zeile 13–21) und am Ende (Zeile 36–45). Bestimmen Sie Modus und Zeit.

GR S. 80/81

Verb	Modus	Zeit
erwachte	*Indikativ*	*Vergangenheit*
errichtet hätten	*Konjunktiv*	*Vergangenheit*

GR 11

Ergänzen Sie folgende Regel zum Konjunktiv II der Vergangenheit.

Der Konjunktiv II hat .... verschiedene Zeitstufen: den Konjunktiv der Gegenwart und den Konjunktiv der .... Man bildet den Konjunktiv der Vergangenheit aus der ....-Form der Verben *haben* oder .... und dem Partizip II.

5

GR 12

Was drückt der Briefschreiber mit folgenden Sätzen jeweils aus?

Textstelle	Bedeutung
Wenn ich gekonnt hätte, wäre ich sofort wieder zurückgekehrt. (Zeile 11)	■ eine Möglichkeit
Es hätte ja sein können, daß sie (...) den neuen Übergang etwas weiter oben oder unten errichtet hätten. (Zeile 16/17)	■ eine Wahrscheinlichkeit
Dann wäre ich ins Wasser gefallen, was (...) nicht gefährlich gewesen wäre, ... (Zeile 17/18)	■ ein irrealer Wunsch
	■ eine irreale Bedingung bzw. Folge

AB 69 22–23

GR 13

Irreale Wünsche

GR S. 81, 2b

Der Mandarin Kao-tai wünscht sich in manchen Momenten, nicht in der Fremde zu sein. Er wünscht sich vielleicht:
Wenn ich nur wieder nach Hause zurückkehren könnte!
Wäre mein Freund bloß bei mir!
Formulieren Sie weitere irreale Wünsche des Briefschreibers.
Wenn ... doch (nur, doch nur, bloß, doch bloß) ... + Konjunktiv II
oder Konjunktiv II ... *bloß (doch, nur, doch nur) ...*

AB 70 24

14

Spiel: Was hättest du gemacht, wenn ... ?

Die Klasse teilt sich in zwei Gruppen. Jedes Team bildet sechs Fragesätze nach folgendem Muster: Was *hättest* du *gemacht*, wenn du Kolumbus *gekannt hättest*?
Die Gruppen stellen einander abwechselnd Fragen, die spontan beantwortet werden.
Beispiel: *Wenn ich Kolumbus gekannt hätte, wäre ich mit ihm nach Amerika gesegelt.*

Für jede richtige Frage und Antwort gibt es einen Punkt.
Gewonnen hat die Gruppe mit den meisten Punkten.

1 Zukunftskonferenz. Was stellen Sie sich darunter vor?
Wer könnte daran teilnehmen und welche Themen werden dort möglicherweise besprochen?

2 Hören Sie den Anfang einer Nachricht.
CD 1 | 23
a Wer spricht hier mit wem?
b Worum geht es?

Zukunftskonferenz
1. und 2. April

Veranstaltung	Termin	Leitung	Ort	Eintritt
Konferenzeröffnung	1. April 9.00	Oberbürgermeisterin Beispiel: Rektor der Universität	In der Burg 2, Römersaal	frei
Zukunftswerkstatt: Innovative Ansätze stärken	1.April 9.30–12.00 [1]			9,– €
Eine Welt ohne Hunger – Utopie oder realisierbare Vision?	1. April 14.00–15.30	Dr. R. Ebenbach	Am Marienufer 12 [2]	7,50 €
Sonne, Wind, Raps und Schnaps! – Wie zukunftsträchtig sind erneuerbare Energien wirklich?	1. April 16.15–17.30 oder bis 18.15	Prof. Dr. Haberkorn	Museum Mensch und Natur - + Führung durch die Ausstellung	Vortrag: 6,– € [3] mit ..., 7,50 €
Symposium: „Menschen, wollt ihr ewig leben?!" Haben wir bald die Pille gegen das Altern?	2. April 10.15–13.00 Wiederholung: [4]	Dr. F. Träumer	Gutenbergstr. 13 Bayernstube im Hackenhaus	10,– €
[5] Düsen, strampeln oder rudern?	2. April 13.30–17.00		Unter den Arcaden 31 Veranstaltungssaal der Deutschen Bank	12,– € inkl. Kaffee und Kuchen

P 3 **Informationen notieren**
CD 1 | 24
Hören Sie die ganze Ansage und korrigieren Sie währenddessen die falschen Informationen oder ergänzen Sie die fehlenden.

4 **Welche der Veranstaltungen würden Sie gern besuchen und warum?** AB 70 25–26

1 Formen des Konjunktivs II

ÜG S. 118

a Formen der Gegenwart

In der Gegenwartsform benutzt man beim Konjunktiv II verschiedene Formen: die Umschreibung mit *würde* + Infinitiv oder die Originalform des Konjunktivs II.

Umschreibung mit *würde* + Infinitiv

Diese Form benutzt man heute häufig, um den Konjunktiv II auszudrücken, da viele Originalformen des Konjunktivs II, besonders die der starken Verben, veraltet klingen. Bei den schwachen Verben ist die *würde*-Form üblicher, weil man die Originalform nicht vom Präteritum unterscheiden kann.

ich	würde	helfen
du	würdest	fliegen
er/sie/es	würde	fragen
wir	würden	umsteigen
ihr	würdet	ausführen
sie/Sie	würden	lösen

Originalform des Konjunktivs II

Diese Form wird vom Präteritum abgeleitet. Die meisten starken Verben, die im Präteritum a/o/u haben, erhalten im Konjunktiv II einen Umlaut. Die Konjunktiv-II-Formen der schwachen Verben entsprechen den Formen im Präteritum. Die **Originalform** benutzt man vor allem bei den Hilfsverben *sein* und *haben*, bei den Modalverben und bei einigen starken Verben wie *kommen, geben, brauchen, schlafen, wissen, lassen, nehmen, halten.*

	Hilfsverben		Modalverben		starke Verben	schwache Verben
	sein	haben	müssen	können		
ich	wäre	hätte	müsste	könnte	ginge	kaufte
du	wär(e)st	hättest	müsstest	könntest	käm(e)st	machtest
er/sie/es	wäre	hätte	müsste	könnte	bräuchte	fragte
wir	wären	hätten	müssten	könnten	wüssten	zählten
ihr	wär(e)t	hättet	müsstet	könntet	ließet	spieltet
sie/Sie	wären	hätten	müssten	könnten	nähmen	erzählten

b Formen der Vergangenheit

ÜG S. 120

Der Konjunktiv II hat nur eine Vergangenheitsform.

Indikativ	Konjunktiv
er erlebte er hat erlebt er hatte erlebt	er hätte erlebt

Indikativ	Konjunktiv
ich flog ich bin geflogen ich war geflogen	ich wäre geflogen

Man bildet die Vergangenheitsform aus dem Konjunktiv II der Verben *haben* oder *sein* + **Partizip II.**

ich	hätte	gewartet
du	hättest	erzählt
er/sie/es	hätte	vergessen
wir	hätten	bekommen
ihr	hättet	aufgeräumt
sie/Sie	hätten	probiert

ich	wäre	gekommen
du	wär(e)st	geflogen
er/sie/es	wäre	gegangen
wir	wären	geblieben
ihr	wär(e)t	erschrocken
sie/Sie	wären	abgereist

2 Verwendung des Konjunktivs II

a Irreale Bedingung

ÜG S. 122

Gegenwart	
real	*Die Menschen bewegen sich auf der Erde zu Fuß oder mit Fahrzeugen fort.*
irreal	*Wenn jeder Mensch sich ein Fluggerät auf den Rücken schnallen würde, (dann) wäre in der Luft das totale Chaos.* *Würde jeder Mensch mit einem kleinen Fluggerät durch die Luft fliegen, (dann) bräuchte man da oben Ampeln und Verkehrspolizisten.*
Vergangenheit	
real	*Die neue Brücke befand sich an der gleichen Stelle wie die alte.*
irreal	*Wenn sie die neue Brücke etwas weiter unten errichtet hätten, wäre ich ins Wasser gefallen.* *Hätte der Zeitreisende gewusst, dass er nicht in China, sondern in München gelandet ist, wäre er nicht so erstaunt gewesen.*

b Wunsch

ÜG S. 124

Einen Wunsch, dessen Erfüllung unwahrscheinlich ist, kann man mit einem Satz im Konjunktiv II und einem der Partikelwörter *doch, nur, doch nur, bloß* bilden.

Realität	Irrealer Wunsch
Der Reisende kann nicht nach Hause zurückkehren.	*Wenn ich nur/bloß nach Hause zurückkehren könnte!*
Sein Freund ist zu Hause geblieben.	*Wäre mein Freund doch mitgekommen!*
Niemand versteht seine Worte.	*Würde mich doch nur/doch bloß jemand verstehen!*

c Irrealer Vergleich

ÜG S. 126

Man bildet irreale Vergleiche mit dem Ausdruck: so *tun/reden/ ..., als ob/als wenn ...* + Konjunktiv II.
Statt Konjunktiv II wird auch Konjunktiv I oder Indikativ verwendet.
Steht nur *als*, so folgt das Verb im Konjunktiv II oder I.
In irrealen Vergleichen steckt häufig auch etwas Kritik.

Jemand hat im Jahre 2972 einen Fisch gesehen.

Aber der Mann von der obersten Behörde tut so,

- *als ob der Zeuge zu viel Fantasie hätte.*
- *als wenn es Fische und andere natürliche Lebewesen nie mehr geben könnte.*
- *als hätte man die Probleme der Menschheit bereits gelöst.*

d Vorsichtige, höfliche Bitte

ÜG S. 140

Bei der höflichen Bitte benutzt man entweder die Modalverben *könnte* und *dürfte*, die Hilfsverben *wäre* und *hätte* oder die Umschreibung mit *würde*. Die höfliche Bitte im Konjunktiv II wird vor allem in der „Sie-Form" verwendet.

Dürfte ich Sie um Hilfe bitten?
Könnten Sie mir sagen, wie spät es ist?
Ich hätte gern ein Stück Schweizer Käse.
Würden Sie mir bitte die Speisekarte bringen?
Hätten Sie einen Moment Zeit für mich?

3 Textgrammatik

Die Struktur eines Textes, der innere Zusammenhang seiner einzelnen Sätze lässt sich nicht nur an **inhaltlichen**, sondern auch an **formalen Elementen** erkennen. Dazu gehören **Verweiswörter**, die sich auf ganze Sätze, Satzteile oder Wörter beziehen. Auch **„Wortketten"** in Form von Synonymen oder **Umschreibungen** markieren einen inhaltlichen Zusammenhang innerhalb eines Textes.

a Verweiswörter auf Wortebene

Dazu zählen unbetonte und betonte Personalpronomen und Indefinitpronomen. Sie ersetzen für gewöhnlich ein Nomen und stehen im Folgesatz, d.h. sie verweisen zurück.

Ein Riese stand plötzlich vor mir. Er war in komische graue Kleider gehüllt.

Affen lassen sich nur schlecht zu langweiligen Tätigkeiten motivieren. Die würden sie nicht auf Dauer zuverlässig ausführen.

Früher haben viele Mediziner ihre Möglichkeiten überschätzt. Einige glaubten, sie hätten den Stein der Weisen gefunden.

5

b Verweiswörter auf Satzebene

Die Pronomen *das, dies* und *es* stehen im Nominativ oder Akkusativ. *Das* und *dies* verweisen auf etwas, was schon vorher im Text stand, und stehen meist auf Position 1. *Es* verweist für gewöhnlich auf etwas, was noch folgt. Im Akkusativ kann *es* nicht auf Position 1 stehen.

Affen als Erntearbeiter einsetzen. Dies war der Wunsch einiger renommierter Wissenschaftler.

Im Jahre 2000 ist der Mensch unsterblich. Das sah der Zukunftsautor A. C. Clarke voraus.

Es wäre technisch möglich, ein solches Fluggerät zu bauen.

Ich halte es nicht für ökologisch sinnvoll, Großstädte einzukapseln.

Präpositionalpronomen stehen in Sätzen, in denen das Verb mit einer festen Präposition verbunden ist. Man bildet sie nach der Regel: *da(r)-* **+ Präposition.** Sie können sowohl *zurück* als auch *nach vorne* verweisen.

Eine riesige Glaskuppel wird New York vor Kälte schützen. Davon träumte der Architekt R. Fuller.

Mit Propellern auf dem Rücken in die Luft. Daran glaubte der Ingenieur C. H. Zimmermann.

Es geht im Alter darum, aktiv und möglichst selbstständig zu leben.

Untersuchungen an menschlichen Zellen deuten darauf hin, dass die normale menschliche Lebensspanne etwa neun Jahrzehnte beträgt.

c Synonyme und Umschreibungen

Wichtige Nomen im Text (Schlüsselwörter) kommen meist in mehreren aufeinanderfolgenden Sätzen vor. Sie werden dann sowohl durch Verweiswörter als auch durch **Synonyme** oder **Umschreibungen** ersetzt. Dadurch entstehen sogenannte „Wortketten" im Text.

Es näherte sich, erschrick nicht, ein Riese. (...) Ich kann das Mienenspiel unserer Nachfahren noch nicht richtig deuten. (...) der erste Mensch, den ich nach meiner Reise von tausend Jahren sah, (...) Ich ging auf ihn zu, verbeugte mich und fragte: „Hoher Fremdling, oder hohe Fremdlingin! ...

Arbeitsbuch
Lektion 1–5

Verben

aufwachsen
aus-/einbürgern
aus-/einwandern
ausweichen
einrichten
emigrieren
erschrecken über + *Akk.*
faszinieren
promovieren
sich aufhalten in + *Dat.*
sich begeistern für + *Akk.*
sich beklagen über + *Akk.*
sich betätigen als + *Nom.*
sich niederlassen in + *Dat.*/ als + *Nom.*
veröffentlichen
seufzen
sterben

Nomen

die Aggression, -en
der Aufenthalt
das Aussehen
der Charakter, -e
der Egoismus
die Eifersucht
die Eigenschaft, -en
die Einbürgerung
der Emigrant, -en
der Fleiß
die Gewohnheit, -en
die Großzügigkeit
das Leiden, -
die Maßlosigkeit
die Promotion
die Reifeprüfung, -en
die Schwäche, -n
der Selbstmord, -e
die Staatsbürgerschaft, -en
der Stolz
der Thron, -e
der Tod
die Trägheit
der Verdienst, -e
die Vorliebe, -n
das Wesen, -
der Wohnsitz, -e
die Zuverlässigkeit

Adjektive/Adverbien

anpassungsfähig
arrogant
aufwendig
äußerst
befristet (un-)
belesen
berechtigt (un-)
böse auf + *Akk.*
böswillig
chronisch
dankbar für + *Akk.*
demoralisiert
depressiv
ehrlich (un-)
eifersüchtig auf + *Akk.*
eigenhändig
eingebildet
enttäuscht von + *Dat.*/ über + *Akk.*
erschrocken über + *Akk.*
erstaunt über + *Akk.*
flexibel (un-)
gebührenfrei
geduldig (un-)
gesellig (un-)
großzügig
hilfsbereit
höflich (un-)
humorvoll
interessiert an + *Dat.*
jugendlich
klug (un-)
lebhaft
nervös
neugierig
oberflächlich
ordentlich (un-)
pedantisch
reif (un-)
schüchtern
sensibel (un-)
suspekt
verantwortungsbewusst
verliebt in + *Akk.*
verschlossen
wütend auf/über + *Akk.*
zivilisiert
zufrieden (un-) mit + *Dat.*

Ausdrücke

ein Haus beziehen
fester Mitarbeiter sein
jemanden im Stich lassen
Jura studieren
mit vollen Händen geben
sich das Leben nehmen
sich wohlfühlen
von Rang
von vorneherein
Wert legen auf + *Akk.*
zum Militär eingezogen werden

1 Wortfeld *Charakter* → **WORTSCHATZ**

Ergänzen Sie aus der Liste „Charaktereigenschaften".

	positiv	negativ	neutral
Nomen	*der Fleiß*	*der Egoismus*	
Adjektive		*eingebildet*	

2 Kurstagebuch → **SCHREIBEN**

Führen Sie ein Tagebuch. An jedem Tag sollte eine andere Kursteilnehmerin/ein anderer Kursteilnehmer den Eintrag schreiben.

Kurstagebuch

Verfasser(in): ....

Datum: ....

Was ich getan habe:

....

Worüber ich gelacht habe:

....

Der Satz des Tages:

....

Was für mich anstrengend war:

....

Worüber ich mich gefreut habe:

....

1

zu Seite 10, 2

3 *machen* + Adjektiv → **WORTSCHATZ**

Bilden Sie Ausdrücke und formulieren Sie passende Sätze.

bemerkbar (sich) – dick – falsch – frisch (sich) – gründlich – gut – lustig (sich – über) – richtig – sauber – schlecht – schön (sich) – sichtbar – überflüssig – verständlich (sich) – wichtig (sich) – fertig (sich)

Beispiele:
Ich esse alles gerne, was dick macht.
Ich mag es nicht, wenn sich jemand wichtig macht.

zu Seite 11, 3

4 Lesestrategie: Texte überfliegen → LERNTECHNIK

Beim Überfliegen eines Textes geht es darum, die wichtigsten Informationen rasch zu entnehmen und sich nicht bei den Einzelheiten aufzuhalten.

a Unterstreichen Sie in den Texten A bis D im Kursbuch S. 11 und 12 alle Wörter, die zentrale Aussagen enthalten. Es sollten höchstens drei Wörter pro Satz sein.
Beispiel: *Er fühlte sich in den Salons der guten Gesellschaft genauso wohl wie in den Indianerdörfern am Orinoko, bei den deutschen Siedlern an der Wolga oder den Nomadenstämmen in Asien.*

b Fassen Sie nun die Aussagen der Texte zusammen und vergleichen Sie Ihre Ergebnisse.
Beispiel: *Humboldt machte weite Reisen, z.B. nach Südamerika an den Orinoko, nach Russland und Asien. Er sammelte Erkenntnisse in Urwäldern und Wüsten und begründete die Länderkunde und Geografie. Er veröffentlichte seine Forschungsergebnisse in dreißig Bänden. Außerdem war er Lehrer und preußischer Diplomat.*

zu Seite 12, 6

5 Stellung des Adjektivs im Satz → GRAMMATIK

Ergänzen Sie die wichtigsten Regeln zu den Adjektivendungen.

a Das Kasus-Signal steht entweder am *Artikel* oder am *Adjektiv*.

b Trägt der Artikel das Kasus-Signal, genügt beim Adjektiv (Nominativ maskulin, feminin, neutral und Akkusativ feminin und neutral) als Endung .... Beispiel: *die zivilisierte Welt*.
In allen anderen Kasus trägt das Adjektiv die Endung ....

c Gibt es keinen Artikel, trägt das Adjektiv das ....
Beispiel: *unbekannter Welten*.
Ebenso, wenn der Artikel **kein** Kasus-Signal trägt.

zu Seite 12, 6

6 Adjektive → GRAMMATIK

Ergänzen Sie – wo nötig – die Endungen.

KARL MAY Als unsere Väter so 13, 14 Jahre alt waren, gab es nur wenige Jungen, die nicht fasziniert waren von der Geschichte einer Freundschaft zwischen dem Indianer Winnetou und dem deutschstämmig*en* Jäger Old Shatterhand. In Amerika, der Heimat dieser Romanhelden, ist ihr Schöpfer so gut wie unbekannt. Dabei war der Autor des beliebt........ Klassikers Winnetou einer der meistgelesen........ Schriftsteller Europas. Seine über 60 Abenteuerromane wurden in zahlreich........ Sprachen übersetzt. Titel wie *Der Schatz im Silbersee* (1894) und *Durch die Wüste* (1892) verraten seine besonder........ Vorliebe für fremd........ Länder und exotisch........ Kulturen. Elf seiner Werke wurden verfilmt. Inzwischen gibt es sogar eine Parodie – *Der Schuh des Manitu* wurde im Jahr 2001 zum bestbesucht........ deutschen Film aller Zeiten.

zu Seite 12, 6

7 Deklination der Adjektive → GRAMMATIK

Ergänzen Sie in der folgenden Übersicht die fehlenden Beispiele und markieren Sie die Adjektivendungen.

	Singular maskulin	Singular feminin	Singular neutral	Plural
Nom.	der große Erfolg	die	das	die unbekannten Welten
	ein großer Erfolg	eine gute Gesellschaft	ein europaweites Unternehmen	viele
Akk.	den	die	das	die
	einen	eine	ein	viele
Dat.	mit dem	mit der	mit dem	mit den
	mit einem	mit einer	mit einem	mit vielen
Gen.	des	der guten Gesellschaft	des europaweiten Unternehmens	der
	eines	einer	eines	vieler

1

zu Seite 12, 6

8 Endungsschema → GRAMMATIK

Markieren Sie die Endungen *-e, -en, -er* und *-es* in Aufgabe 6 in verschiedenen Farben. Wie oft haben Sie *-en* markiert? Welche Endungen benutzen Sie ganz selten? Formulieren Sie eine Regel, mit der Sie persönlich sich die Endungen merken können.

zu Seite 12, 6

9 Artikelwörter und Adjektivendungen → GRAMMATIK

Ergänzen Sie die fehlenden Endungen.

- a Gestern hatten wir unerwartet*en* Besuch von gut*en* Freunden.
- b Reiner ist ein schwierig…… Typ.
- c Eva hat ein sehr angenehm…… Wesen.
- d Diese Frau Meyer ist wirklich eine arrogant…… Person.
- e Hans hat noch andere klein…… Schwächen.
- f Mit einigen von deinen schlecht…… Gewohnheiten komme ich wirklich nicht zurecht.
- g Mit diesem hilfsbereit…… Kollegen kann man äußerst gut zusammenarbeiten.
- h Mein fünfjähriger Sohn geht nie ohne seine speziell…… Spielsachen aus dem Haus.
- i In meinem Bekanntenkreis gibt es mehrere recht humorvoll…… Menschen.
- j Das hätte ich bei einer so großzügig…… Frau nicht erwartet.
- k Ich mag deine neu…… Freundin.
- l Es war nicht ganz leicht, die enttäuscht…… Kunden zu beruhigen.
- m In dieser Prüfung gab es keine schwer…… Aufgaben.
- n Jeder neu…… Pass muss beantragt werden.
- o Es geht um die neu…… Telefongebühren.
- p Alle interessiert…… Studenten sollen sich melden.

zu Seite 12, 6

10 Kombination → GRAMMATIK/WORTSCHATZ

Kombinieren Sie die Adjektive mit den Nomen und – wo angegeben – mit Präpositionen. Geben Sie je einen Beispielsatz in verschiedenen Kasus bzw. Deklinationstypen.

Adjektiv	Nomen	Beispiele
neu	der Wohnsitz	Er hat einen neuen Wohnsitz in Berlin.
gut	Aussichten	
schlecht	der Charakter	
hoch	der Verdienst	
angemessen	die Bezahlung	
alt	die Gewohnheit	In
kurz	ein Aufenthalt	Während
freundlich	Grüße	Mit
nett	eine Person	
klein	Schwächen	
besonders	eine Vorliebe	Mit
groß	Fleiß	
schwer	Leiden	Nach
neu	Mitarbeiter	Mit
schlecht	Zeiten	In

zu Seite 12, 6

11 Ergänzen Sie. → GRAMMATIK

Achten Sie auf die Groß- und Kleinschreibung.

aktuellem – genaueres – heißes – historisches – interessantes – näheres – neues (3x) – unbekanntes – letzter

a

▲ Hast du was Neues (0) von Richard gehört?

● Nein, leider nicht. Ich glaube, er wollte eine größere Reise machen – in irgendein .... (1) Land am Äquator.

▲ Ja, das weiß ich auch. Ich würde nur gerne mal was .... (2) erfahren.

● Leider weiß ich auch nichts .... (3). Ruf doch mal bei seinen Eltern an. Vielleicht haben die in .... (4) Zeit etwas von ihm gehört.

b

● Gestern habe ich in der Zeitung etwas .... (5) gelesen: Es gibt ein neues Buch über Alexander von Humboldt.

▲ Über Humboldt wurde doch bereits so viel geschrieben. Da fragt man sich: Gibt es überhaupt noch irgendetwas .... (6) über diesen Mann?

● Da hast du recht. Aber soweit ich gelesen habe, präsentiert das Buch viel .... (7) und bisher .... (8) Bildmaterial.

▲ Mag sein, aber so was .... (9) interessiert mich eigentlich weniger. Ich beschäftige mich lieber mit etwas .... (10) und lese zum Beispiel Reportagen über Persönlichkeiten der heutigen Zeit.

Übung zu Seite 15, 3 siehe nächste Seite

zu Seite 16, 2

12 Positive und negative Eigenschaften → GRAMMATIK

Streichen Sie alle negativen Eigenschaften.

Herr Meyer	Frau Huber	Herr Schmitz	Frau Bauer	Herr Fink
arrogant	flexibel	nervös	kritisch	ehrgeizig
pedantisch	eingebildet	sensibel	korrekt	natürlich
humorvoll	offen	ehrlich	altmodisch	zynisch
sparsam	lebhaft	ordentlich	oberflächlich	selbstbewusst
fleißig	großzügig	neugierig	stolz	geduldig
zivilisiert	diplomatisch	lebenslustig	anpassungsfähig	höflich

zu Seite 15, 3

13 Wo steht das im Text? Zeile ... → LESEN

1. Er arbeitete in Leipzig. 21
2. Er fühlte sich auch außerhalb Deutschlands wohl. ....
3. Er interessierte sich auch für die Erforschung der Natur. ....
4. Er konnte viel mehr als nur gut schreiben. ....
5. Er zeichnete auch. ....
6. Er verliebte sich oft, wollte sich aber nicht fest binden. ....
7. Er war gegen Krieg. ....
8. Er war gläubiger Christ. ....
9. Es gab Leser, die sich nach der Lektüre seines Romans das Leben nahmen. ....
10. Moderne Künstler lassen sich von seinen Werken beeinflussen. ....

Goethe war nicht nur ein erfolgreicher Dichter, er war ein Universalgenie: Denn neben seiner Lyrik, seinen Dramen und Romanen hinterließ er auch zahlreiche theoretische Schriften sowie naturwissenschaftliche Arbeiten. Auch als Zeichner war er begabt.

Zum Mythos wurde schon damals sein Roman „Die Leiden des jungen Werther", den Goethe in seiner 5 Jugendzeit schrieb. Eine tragische Liebesgeschichte, die manche Leser so ergriff, dass sie es dem Werther gleichtaten und ihrem irdischen Dasein ein Ende setzten.

Frauenliebling Goethe: Auch Goethe litt immer wieder unter Liebeskummer. Käthchen, Friederike, Charlotte und wie sie alle hießen. Jedes Mal war der Dichter hell entflammt, suchte aber immer rechtzeitig das Weite. Auf seine Weise schaffte es Goethe, dem seelischen Leid zu entrinnen. Fast zwei Jahre blieb der Aussteiger auf 10 Zeit in Italien. Er verewigte diese Zeit in seinem Werk „Die italienische Reise".

Seine Verse über die unergründliche Seele des Menschen sind unsterblich. Niemand hat wie er über unsere Sehnsüchte, Wünsche und Hoffnungen geschrieben.

Und Goethe war auch ein großer Europäer als Politiker und Denker. Alles, was Nationalismus und Krieg schürte, war ihm verhasst. „Mein Vaterland ist da, wo es mir wohlgeht", sagte er selbst. Viele haben ihn ver- 15 göttert, doch sah gerade er selbst sich als Mensch aus Fleisch und Blut. Rastlos versuchte er, das Leben in all seinen Möglichkeiten auszukosten. Und selbst sagte er einmal: „Mein Leben, ein einzig Abenteuer."

Was er komponierte, ist Vorbild für viele, die nach ihm kamen – unerreicht und unvergänglich. Und längst nicht nur Musiker sind erfüllt von Ehrfurcht und Achtung für **Johann Sebastian Bach.**

Bachs Fundament war der lutherische Glaube, sein Werk verstand er als Lob Gottes. Nach Engagements am 20 Hofe und beachtlichen Werken wie den *Brandenburgischen Konzerten* wurde Bach 1723 zum Kantor an der Thomaskirche in Leipzig ernannt. Hier schrieb er Musikgeschichte: die Passionen und die überwältigende h-Moll-Messe.

Das reiche Erbe, das er hinterließ, ist ein Stück Weltkultur. Kein anderer Komponist wird so vielfältig interpretiert wie er – Pop, Jazz, als Ballett oder doch ganz klassisch: An ihm kommt keiner vorbei. Musik, die 25 Himmel und Erde miteinander verbindet wie eine Offenbarung. „Seine Musik ist einfach zeitlos", urteilt Popstar Sting. „Für mich ist er der wichtigste Deutsche überhaupt – die Nummer eins!"

Werke des großen Weltkomponisten wurden der Raumsonde Voyager mit auf den Weg gegeben – als Zeugnis von der Musikalität des Menschen.

zu Seite 16, 3

14 Körpersprache → WORTSCHATZ

Bilden Sie aus den Bausteinen sinnvolle Sätze.
Beispiel:
Wenn ich deprimiert bin, lasse ich den Kopf hängen.

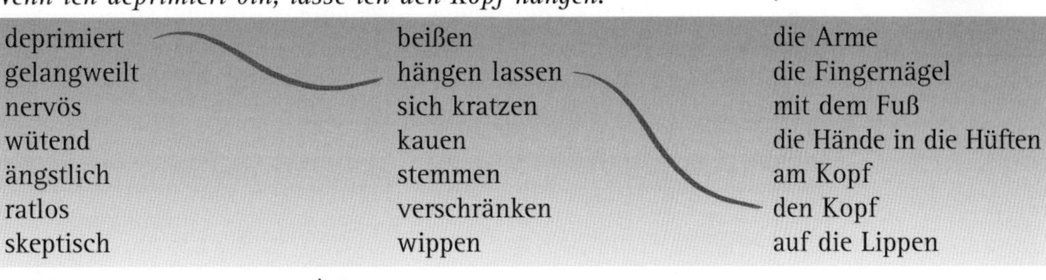

deprimiert	beißen	die Arme
gelangweilt	hängen lassen	die Fingernägel
nervös	sich kratzen	mit dem Fuß
wütend	kauen	die Hände in die Hüften
ängstlich	stemmen	am Kopf
ratlos	verschränken	den Kopf
skeptisch	wippen	auf die Lippen

zu Seite 16, 3

15 Wortbildung: Verstärkung → GRAMMATIK/WORTSCHATZ

Wie heißt das Adjektiv? Mehrere Kombinationen sind möglich.

erz-	konservativ
ur-	alt
super-	reich
hoch-	komisch
über-	plötzlich
bild-	intelligent
wunder-	schlau
tod-	modern
	glücklich
	schick
	unglücklich
	schön

zu Seite 16, 5

16 Adjektive mit Präpositionen → GRAMMATIK

Ergänzen Sie die passenden Präpositionen oder *da(r)-* + Präposition.

a) Seien Sie nett ..zu.. Ihren Lernpartnern!
b) Entscheidend .... den Lernerfolg ist Ausdauer.
c) .... der Grammatik bin ich schon ziemlich gut.
d) Unerfahren bin ich dagegen noch .... Umgang mit Hörtexten.
e) Ich bin .... meinen Fortschritten recht zufrieden.
f) Die neue Lehrerin ist .... allen Kursteilnehmern sehr beliebt.
g) Ich war nicht besonders glücklich .... das Ergebnis des Tests.
h) Die Teilnehmer sind froh .... , dass mal wieder ein Ausflug gemacht wird.
i) Das viele Sitzen ist doch sicherlich schädlich .... die Gesundheit.
j) Ich bin .... überzeugt, dass wir in diesem Kurs viel lernen werden.
k) Wir sind interessiert .... einem Kurs, in dem wir aktiv mitarbeiten können.
l) Der Lernerfolg ist natürlich abhängig .... der Zeit, die ich in die Vor- und Nachbereitung investiere.

zu Seite 17, 7

17 Personenbeschreibung: Charakter und Aussehen → WORTSCHATZ

Ordnen Sie die Adjektive in die richtige Kategorie ein und ergänzen Sie das Gegenteil. Manche Wörter passen in beide Kategorien.

hübsch – angenehm – eifersüchtig – freundlich – ordentlich – temperamentvoll – herzlich – schön – höflich – sensibel – treu – humorvoll – sportlich – stolz – fleißig – zuverlässig – geduldig – verantwortungsbewusst – gepflegt – neidisch

Charakter	Gegenteil
angenehm	unangenehm

Aussehen	Gegenteil
hübsch	hässlich

zu Seite 17, 9

18 Graduierung der Adjektive → WORTSCHATZ

Differenzieren Sie die Aussagen durch ein graduierendes Adverb.
Es gibt mehrere Möglichkeiten

ausgesprochen – absolut – besonders – ganz – etwas – recht – sehr – total – höchst – ziemlich

Beispiele: *Es handelt sich um ein ziemlich langweiliges Buch. (-)*
Es handelt sich um ein ausgesprochen langweiliges Buch. (--)
Es handelt sich um ein total langweiliges Buch. (---)

a Das war ein interessanter Film. (+)
b Der Hauptdarsteller hat mir gut gefallen. (+++)
c Er ist ein gut aussehender Typ. (++)
d Seine Filmpartnerin war im Vergleich dazu eine blasse Figur. (-)
e Meine Lehrerin ist nett. (++)
f Unsere neue Kollegin entwickelt viele neue Ideen. (+++)
g Sie scheint eine aktive Person zu sein. (+++)

zu Seite 18, 5

19 Begründungen → SCHREIBEN

Verschenken Sie jedes der Bücher, die Sie auf Seite 19 des Kursbuchs finden, an eine Person in Ihrer Klasse. Schreiben Sie jeweils ein bis zwei Sätze, warum dieses Buch der Person gefallen wird.
Beispiel:
Reclams Lexikon des deutschen Films wird Peter sicher gefallen, denn er ist kulturell sehr interessiert. Er geht regelmäßig ins Kino und möchte sicherlich auch mehr über deutsche Kinofilme erfahren.

zu Seite 20, 1

20 Lebensstandard → SCHREIBEN

Was gehört in Ihrem Heimatland zu einem hohen Lebensstandard? Formulieren Sie die Stichpunkte aus dem Kursbuch Seite 20 zu einem Text aus (fünf bis sechs Sätze). Achten Sie darauf, dass die Sätze unterschiedlich aufgebaut sind.
Beispiel:
In Deutschland hätten viele Leute gerne ein eigenes Haus mit einem großen Garten. Ein eigener Swimmingpool oder eine Sauna gehören bei den Deutschen ebenso zum Traum vom guten Leben. Wer sich kein Haus leisten kann, möchte

wenigstens in einer großen Wohnung mit einer modernen Einbauküche leben. Auch das Auto gehört zum gehobenen Lebensstandard. Es sollte möglichst sportlich sein. ...

zu Seite 22, 3

21 Lebenslauf → **WORTSCHATZ**

Setzen Sie alle Verben an der jeweils richtigen Stelle ein.
Manche Verben passen zweimal.

Kurt Tucholsky

KINDHEIT UND JUGEND SCHULZEIT ablegen – aufwachsen – besuchen – verbringen	Kurt Tucholsky wurde am 9. Januar 1890 als Sohn eines Kaufmanns in Berlin geboren. Er .... in Berlin .... und .... seine gesamte Schulzeit in Berlin. Von 1896 bis 1909 .... er das Gymnasium. Dort .... er die Reifeprüfung ....
AUSBILDUNG/STUDIUM UND BERUF abschließen – angestellt werden – annehmen – dienen – eingezogen werden – leisten – studieren	Er .... Jura und .... das Studium mit der Promotion .... Im Ersten Weltkrieg .... er zum Wehrdienst .... Den Wehrdienst .... er mit äußerstem Widerwillen. Er musste mehrere Jahre als Soldat bei der Armee .... Nach dem Krieg .... er eine Stelle als Leiter der humoristischen Beilage in einer Berliner Tageszeitung .... Nach einer kurzen Zeit als Privatsekretär in einem Bankhaus .... er als Mitarbeiter bei der Zeitschrift *Die Weltbühne* ....
AUSLANDSAUFENTHALT auswandern – gehen – unternehmen – verlassen – leben – zurückkehren	1924 .... er seine Heimat Berlin zum ersten Mal für längere Zeit. Er .... ins Ausland und .... zunächst fünf Jahre in Paris. Danach beschloss er, nicht nach Deutschland ...., sondern nach Schweden .... Von dort aus .... er Reisen nach England und Frankreich.
FAMILIE haben – verheiratet sein – geschieden werden – sich scheiden lassen	Tucholsky .... mehrmals .... Die Ehe mit der Ärztin Else Weil .... nach wenigen Jahren .... Und auch von seiner zweiten Frau, Mary Gerold, ... er sich .... Er .... keine Kinder.
LEBENSENDE nehmen – sterben	Tucholsky .... am 21. 12. 1935 in Schweden. Er .... sich das Leben.

zu Seite 22, 3

22 Von der Wiege bis zur Bahre → WORTSCHATZ

Verbinden Sie Verben und Nomen zu sinnvollen Ausdrücken und formulieren Sie Beispielsätze im Präteritum oder Perfekt.
Beispiel:
Er hielt sich lange Zeit im Ausland auf.

Nomen	Verb
auf einem Friedhof	aufhalten
das Abitur	beerdigt sein
eine Diplomprüfung	verbringen
eine Schule/einen Kurs	bestehen
Reisen	besuchen
zum Militär	eingezogen werden
Zeit im Ausland	machen
sich im Ausland	unternehmen

zu Seite 22, 5

23 Wortbildung: Derivation → GRAMMATIK

a Adjektive aus Nomen
Wie heißen die passenden Adjektive zu folgenden Nomen?

Nomen	Adjektiv
das Interesse	*interessant*
die Aggression	
die Depression	
die Form	
die Intelligenz	
die Komik	

Nomen	Adjektiv
die Mode	
die Moral	
die Praxis	
die Prominenz	
die Reaktion	
die Revolution	

b Neue Wörter durch Vor- und Nachsilben
Ergänzen Sie die Silben *be-, un-, -en, -heit, -lich* an der richtigen Stelle in dem Baum, sodass sich sinnvolle Wörter ergeben.
„Konstruieren“ Sie selbst einen weiteren Baum mit den Adjektiven *neu* oder *schön.*

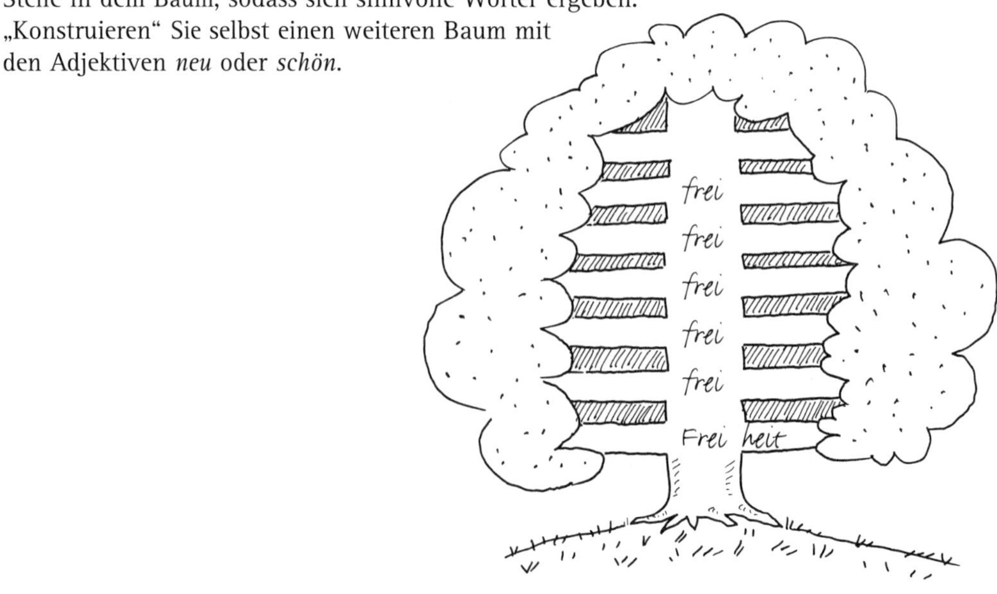

zu Seite 22, 5

24 Wortbildung: Komposition → GRAMMATIK

Suchen Sie Zusammensetzungen mit folgenden Wörtern und erklären Sie deren Bedeutung:

alt – arm – blau – frei – früh – halten – leicht – das Licht – neu – das Papier – reif – schwarz – sehen – selig – sinnig – warm – die Zeit – reich

Adjektiv + Nomen	Adjektiv + Verb	Adjektiv + Adjektiv
die Freizeit	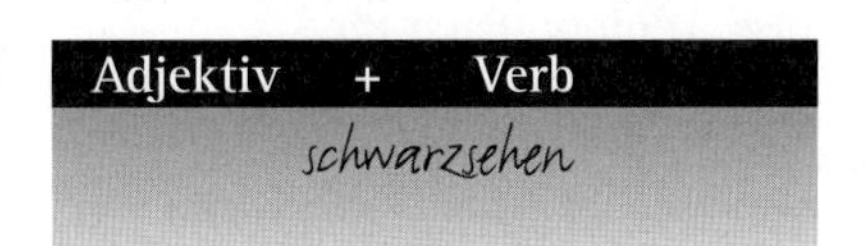	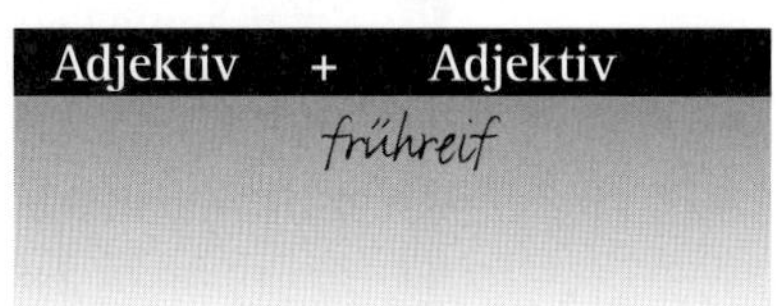

zu Seite 22, 5

25 Adjektive: *-los, -haft, -lich, -ig, -isch, -tisch, -istisch* → GRAMMATIK

Welches Suffix passt?

- a Also, ich finde dein Verhalten wirklich verantwortungs*los*.
- b Das finde ich ehr............ gesagt nicht nett von dir.
- c Das war ein wirklich herz............ Essen.
- d Den Rock ziehe ich nicht mehr an, er ist doch langsam etwas altmod............ .
- e Der Text muss stil............ überarbeitet werden.
- f Die Aussicht war einfach traum............ .
- g Er hat diesen Text sicher nicht eigenhänd............ verfasst.
- h Gestern haben wir uns leb............ unterhalten.
- i Ich bin wirklich neugier............, was Peter seiner Freundin zum Geburtstag schenkt.
- j Ich glaube, meine Schwester wird nie vernünft............ werden.
- k Ich habe mich mit meinem Bruder nicht besonders verstanden. Er ist leider sehr ego............ .
- l Ich habe gehört, dass dein Vater ernst............ krank ist. Stimmt das?
- m Mein Onkel leidet an einer chron............ Krankheit.
- n Luisa ist eine wirklich gesell............ Person.
- o Mit meiner Zimmernachbarin komme ich nicht gut aus; sie ist mir zu pedan............ .
- p Nach nur sechs Monaten bei der neuen Firma ist er schon wieder arbeits............ .
- q Sein Vater ist echt großzüg............ . Er hat ihm eine Weltreise finanziert.
- r Tucholsky war zeitlebens sehr krit............ .

zu Seite 22, 5

26 Substantivierte Adjektive → GRAMMATIK

Wie heißt das Nomen, das aus dem adjektivischen Ausdruck gebildet wird?

- a jemand, der mit mir verwandt ist *ein Verwandter/eine Verwandte*
- b jemand, der ohne Arbeit ist
- c jemand, der mir bekannt ist
- d jemand, der auf der Reise ist
- e jemand, der fremd ist
- f jemand, der verbeamtet ist
- g jemand, der vor Gericht angeklagt wird
- h jemand, der 18 Jahre alt ist

zu Seite 23, 3

27 Biografie: Albert Einstein → **SCHREIBEN**

Formulieren Sie Sätze aus den biografischen Daten Albert Einsteins.
Beispiel: geb. 14. 3. 1879, Ulm, jüdische Familie
Albert Einstein wurde am 14. März 1879 als Sohn einer jüdischen Familie in Ulm geboren.

- a 1894 Schulaustritt ohne Abschluss
- b 1900 Studienabschluss: Diplom, Fach Physik
- c 1901 drei Monate Hilfslehrer, Technikum Winterthur
- d 1902 Beamter, Patentamt, Bern
- e 1911 ordentlicher Professor, deutsche Universität Prag
- f 1913 mit 34 Jahren, Entwurf: Allgemeine Relativitätstheorie
- g 1921 Nobelpreis Physik
- h 1913–1933 Direktor Kaiser-Wilhelm-Institut, Berlin
- i 1933 Emigration USA
- j 1933–1945 Professor, Princeton, USA
- k 1941 amerikanische Staatsbürgerschaft
- l 1955 Tod, Princeton

zu Seite 23, 3

28 Lerntechnik → **SCHREIBEN**

Worauf man beim Schreiben achten sollte.
Ordnen Sie die Satzteile zu, sodass sich sechs Tipps für das Schreiben ergeben.

1. Benutzen Sie zum Schreiben
2. Wenn nötig, nehmen Sie
3. Schreiben Sie Ihren Text
4. Versuchen Sie, den Text möglichst
5. Bei sprachlichen Problemen
6. Am Ende lesen Sie Ihren Text

- a ein Lineal oder einen Radiergummi zu Hilfe.
- b noch ein- bis zweimal durch und korrigieren die Fehler.
- c übersichtlich zu gliedern.
- d schlagen Sie in einer Grammatik, einem Wörterbuch oder Ihrem Lehrbuch nach.
- e zuerst auf ein Schmierblatt vor.
- f ein gut lesbares Schreibgerät.

zu Seite 23, 3

29 Wozu lernen Sie Deutsch? → **LERNTECHNIK**

Kreuzen Sie an, wann und wo Sie Deutsch sprechen, hören, lesen oder schreiben.
Welche Kenntnisse bzw. Fertigkeiten sind für Sie besonders wichtig?

Hören und verstehen
- ☐ Unterhaltungen in alltäglichen Situationen
- ☐ Radiosendungen, z.B. deutschsprachige Nachrichten
- ☐ deutschsprachige Fernsehsendungen
- ☐ Kinofilme im Originalton
- ☐ Vorlesungen auf Deutsch
- ☐ geschäftliche Besprechungen auf Deutsch
- ☐ ....

Lesen und verstehen
- ☐ auf Deutsch verfasste Briefe von Freunden
- ☐ deutschsprachige Zeitungen, Zeitschriften usw.
- ☐ deutschsprachige Literatur, z.B. Romane
- ☐ deutschsprachige Nachschlagewerke, z.B. Lexika
- ☐ deutschsprachige Fachzeitschriften
- ☐ ....

Sprechen
- ☐ Gespräche auf Reisen
- ☐ Gespräche auf Deutsch mit Freunden und Bekannten, z.B. auf einer Party
- ☐ einen Vortrag/ein Referat auf Deutsch halten
- ☐ geschäftliche Verhandlungen führen
- ☐ ....

Schreiben
- ☐ private Briefe, z.B. an Freunde
- ☐ private Korrespondenz mit Hotels, Firmen usw.
- ☐ Geschäftsbriefe im Rahmen der beruflichen Tätigkeit
- ☐ Seminararbeiten bzw. wissenschaftliche Aufsätze
- ☐ ....

zu Seite 24, 6

30 Ergänzen Sie die Endungen. → **GRAMMATIK**

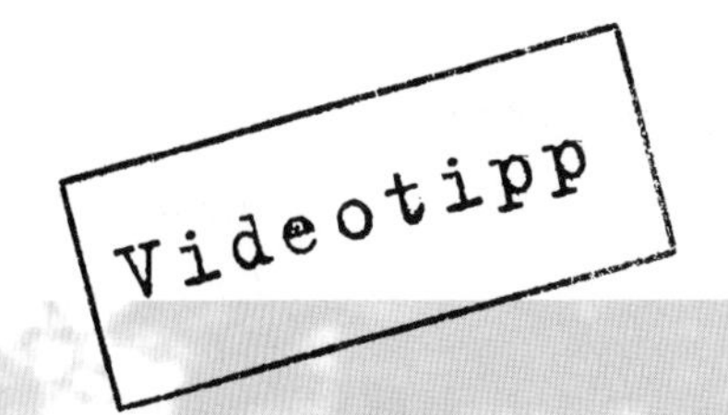

GRIPSHOLM

EIN FILM VON XAVIER KOLLER NACH MOTIVEN VON KURT TUCHOLSKYS BESTSELLER *SCHLOSS GRIPSHOLM*

DEUTSCHLAND/SCHWEIZ/ÖSTERREICH 2000

In der vergnügungssüchtig*en* Welt des Berliner Kabaretts der Dreißigerjahre ist Schriftsteller und Journalist Kurt (Ulrich Noethen) ein Star. Denn keiner schreibt so frech......., humorvoll....... Chansontexte wie er. Und Angst vor der Obrigkeit hat der Mann mit der scharf....... Zunge auch nicht.

Allerdings wünscht sich sein Verleger, dass Kurt einfach eine leicht....... Sommergeschichte schreibt. Etwas, womit sich Geld verdienen lässt. Als der Autor zu seinem Urlaubsidyll in das schwedisch....... Schlösschen Gripsholm aufbricht, sehen die Bedingungen dafür auch ideal aus.

Die Muse, die ihn küssen soll, hat der Autor in Person seiner hübsch....... Freundin Lydia (Heike Makatsch) gleich mitgebracht. Dazu schimmernd....... schwedisch....... Seen, im Wind rauschend....... Wälder, endlos....... Felder, durchliebt....... Nächte und sonnendurchglüht....... Tage ...

Der Besuch von Kurts Freund, dem leidenschaftlich....... Piloten Karlchen (Marcus Thomas), und Lydias Freundin, der freizügig....... Varieté-Sängerin Billie (Jasmin Tabatabai), sorgt für erotisch....... Überraschungen ... aber die politisch....... Veränderungen in Deutschland werfen erste Schatten auf das sonnig....... Urlaubsglück. Nach diesem Sommer in Gripsholm wird für Kurt und Lydia nichts mehr so sein wie zuvor.

Basierend auf Kurt Tucholskys Roman taucht GRIPSHOLM in die dekadent....... Welt des Berliner Kabaretts zu Beginn der Dreißigerjahre ein, als die letzt....... Tabus gebrochen wurden.

1

zu Seite 24, 6

31 Artikelwörter, Pronomen und Adjektivendungen → **GRAMMATIK**

Ergänzen Sie die Sätze. Es gibt mehrere Lösungen.

einige, irgendein, irgendetwas, irgendwelche, jedes, sämtliche, solche, solchen, viele

Erika macht sich immer (1) *solche* groß*en* Sorgen um ihre Kinder. Ständig hat sie Angst, (2) __________ Schlimm___ könnte ihnen passieren. Da helfen (3) __________ gut___ Ratschläge wenig. Ich denke, dass (4) __________ jung___ Mütter dasselbe Problem haben wie Erika. Hast du vielleicht (5) __________ gut___ Ideen, wie man Erika auf andere Gedanken bringen kann?

Hermann bekommt abends oft (6) __________ groß___ Hunger, dass er noch einmal aus dem Bett aufsteht, um (7) __________ Essbar___ im Schrank zu suchen. (8) __________ klein___ Stückchen Schokolade, das er findet, isst er sofort auf. Wenn (9) __________ ander__ Süßigkeiten im Hause sind, kommen die ihm an so einem Abend gerade recht. (10) __________ unkontrollierbar___ Ess-Lüste sind zwar nicht gut für seine Figur, aber er kann sie leider nicht kontrollieren. Seine Freundin hat ihm schon (11) __________ neuer___ Artikel aus der Presse ausgeschnitten, um ihn über die Folgen aufzuklären. Aber Hermann muss sich eben an manchen Abenden (12) __________ Lecker___ gönnen. Da hilft alles nichts.

die Vokale u – i – ü

1
LERNER-CD 1

Gedicht

a Hören Sie ein Gedicht zuerst einmal, ohne es zu lesen.
Was ist das Thema?

b Unterstreichen Sie alle Wörter mit einem *ü*.

Frühlingslied

Die Luft ist blau, das Tal ist grün,
Die kleinen Maienglocken blühn
Und Schlüsselblumen drunter;
Der Wiesengrund
Ist schon so bunt
Und malt sich täglich bunter.
Drum komme, wem der Mai gefällt,
Und freue sich der schönen Welt
Und Gottes Vatergüte,
Die diese Pracht
Hervorgebracht,
Den Baum und seine Blüte.

Ludwig Christoph Heinrich Hölty

c Hören Sie das Gedicht noch einmal. Achten Sie auf die unterstrichenen Wörter.

d Diktieren Sie die erste Strophe Ihrem Lernpartner/Ihrer Lernpartnerin. Danach diktiert er/sie Ihnen die zweite Strophe. Überprüfen Sie, ob Sie alles richtig geschrieben haben.

2
LERNER-CD 2

Wortpaare *u – ü – i*

a Sie hören jetzt einige Wortpaare. Ergänzen Sie das zweite Wort des Paares.

u – ü	ü – u	i – ü	ü – i
Burg – *Bürger*	Bücher – *Buch*	Tier – *Tür*	lügen – *liegen*
Wut –	Hüte –	vier –	Gerücht –
Luft –	Mütter –	Kiste –	spülen –
Duft –	vernünftig –	Fliege –	küssen –
Ausdruck –	für –	Ziege –	müssen –
Gruß –	Füße –		
Zug –	Brüder –		

b Sprechen Sie die Wortpaare.

3
LERNER-CD 3

i oder *ü*?

Welches Wort hören Sie?

☐ Bühne	☐ Biene	☐ müssen	☐ missen
☐ Fliege	☐ Flüge	☐ müsst	☐ Mist
☐ kühl	☐ Kiel	☐ spielen	☐ spülen
☐ küssen	☐ Kissen	☐ vier	☐ für
☐ lügen	☐ liegen	☐ Ziege	☐ Züge

4
LERNER-CD 4

Sätze mit *müssen*

Hören Sie die Sätze und ergänzen Sie das fehlende Wort.

- Ich ....muss.... jetzt unbedingt was essen.
- Ich .... mal wieder Urlaub machen.
- Gestern .... ich 20 Minuten auf die Straßenbahn warten.
- Ich .... schnell noch was erledigen.
- Warum .... du denn schon wieder verreisen?
- Über Tucholsky .... man einen Film drehen.
- Dieses Training .... man ganz anders machen.

1

Lernkontrolle: Was haben Sie in dieser Lektion gelernt?

Kreuzen Sie an.

Ich kann ...

Lesen

- ☐ ... einem stilistisch anspruchsvollen Sachbuchtext über Leben und Bedeutung berühmter historischer Persönlichkeiten wichtige Informationen entnehmen.
- ☐ ... biografische Informationen in einem ausführlichen Lebenslauf verstehen.
- ☐ ... ein Gedicht von Kurt Tucholsky mithilfe von Worterklärungen verstehen.

Hören

- ☐ ... einem ausführlichen Gespräch über Leben und Werk von berühmten Persönlichkeiten detaillierte Aussagen entnehmen.
- ☐ ... in Kurzinterviews Hauptaussagen zu Leben und Werk des Schriftstellers Tucholsky verstehen.
- ☐ ... in einem Radiofeature verstehen, welche Stellung Tucholsky in der Gesellschaft seiner Zeit hatte.
- ☐ ... eine gehörte Passage aus dem Roman *Rheinsberg* interpretieren.

Schreiben - Produktion

- ☐ ... meinen ausführlichen Lebenslauf stilistisch angemessen verfassen.
- ☐ ... die Charaktereigenschaften verschiedener Persönlichkeiten aus meinem persönlichen Umfeld ausführlich beschreiben.

Sprechen - Produktion

- ☐ ... einen Interviewpartner mit seinen besonderen Interessen in der Gruppe vorstellen.
- ☐ ... Biografien und Lebensläufe präsentieren.

Sprechen - Interaktion

- ☐ ... mich vorstellen und über meine Vorlieben sprechen.
- ☐ ... ein Interview führen und dabei auf interessante Antworten näher eingehen.
- ☐ ... auf Fragen zu meiner Person und meinen Interessen detailliert eingehen.
- ☐ ... meine Meinung zur Bedeutung verschiedener Persönlichkeiten der Geschichte sagen und begründen.
- ☐ ... eine Buchempfehlung begründen.

Wortschatz

- ☐ ... positive bzw. negative Charaktereigenschaften mithilfe von Adjektiven präzise benennen.
- ☐ ... unbekannte Wörter aus dem Kontext erschließen oder aus bekannten ableiten.
- ☐ ... die Bedeutung von Adjektiven aus Vor- und Nachsilben erschließen.

Grammatik

- ☐ ... graduierende Adverbien zur präzisen Beschreibung von Personen verwenden.
- ☐ ... Adjektive mit richtigen Endungen verwenden.
- ☐ ... Adjektive mit festen Präpositionen sicher einsetzen.

Sprechen Sie mit Ihrem Kursleiter/Ihrer Kursleiterin über Tipps zum Weiterlernen.

Verben

ablesen
achten auf + *Akk.*
analysieren
aufnehmen
ausgehen von + *Dat.*
äußern
basieren auf + *Dat.*
bauen auf + *Akk./Dat.*
beginnen mit + *Dat.*
beibringen + *Dat.*/Akk.
benachrichtigen
berichten
beschreiben
bestehen auf + *Dat.*
bestehen aus + *Dat.*
bilden
deuten
dienen zu + *Dat.*
feststellen
führen
fürchten
imitieren
interviewen
kommentieren
meinen
merken
mitteilen
reagieren
sich beschäftigen mit + *Dat.*
sich eignen für + *Akk.*
sich entscheiden für + *Akk.*
sich etwas einprägen
speichern
stützen

Nomen

der Akzent, -e
die Amtssprache, -n
die Bibliothek, -en
der Dialekt, -e
der Dozent, -en
der Erwachsene, -n
der Erwerb
der Experte, -n
die Fachliteratur
der Faktor, -en
der Flüchtling, -e
der Forscher, -
die Forscherin, -nen
das Gehirn, -e
die Geisteswissenschaft, -en
die Germanistik
die Hochschule, -n
die Hochsprache, -n
der Hörsaal, -säle
die Imitation, -en
das Institut, -e
die Integration
das Internet
der Klang, ¨-e
der Kursleiter, -
die Kursleiterin, -nen
das Lehrwerk, -e
der Lernstoff
die Motivation, -en
das Muster, -
die Naturwissenschaft, -en
das Niveau, -s
das Projekt, -e
der Prozess, -e
die Regel, -n
das Repertoire, -s
die Sekundärliteratur
das Talent, -e
die Umgangssprache
die Umgebung, -en
die Untersuchung, -en
die Verbindung, -en
die Voraussetzung, -en
der Vorgang, ¨-e
die Vorlesung, -en
der Zugang, ¨-e
der Zweig, -e

Adjektive/Adverbien

auswendig
begabt (un-)
berufsspezifisch
eifrig
intensiv
praxisorientiert
systematisch (un-)
unerlässlich

Ausdrücke

(an) Bedeutung gewinnen
ein Gespräch führen
ein Referat halten
ein Thema anschneiden
eine Antwort geben
eine Auskunft erteilen
eine Frage stellen
eine Rede halten
einen Hinweis geben
einen Rat geben
ins Gespräch kommen
zum Ausdruck bringen
zur Diskussion stellen
zur Sprache bringen

2

1 Wortbildung → **WORTSCHATZ**

Ergänzen Sie die passenden Verben oder Nomen zum Wortfeld „Sprache" aus dem Lernwortschatz.

Verben	Nomen
äußern	die Äußerung

zu Seite 27, 2

2 Leser fragen – Fachleute antworten → LESEN/GRAMMATIK

a Lesen Sie den Text unten und suchen Sie Beispiele für folgende Verbformen/-arten.

Verbform/-art	Beispiel
Verb im Perfekt	
Verb im Präsens	
Infinitiv	
Modalverb	
Nomen-Verb-Verbindung	eine Übung machen
Verb mit trennbarer Vorsilbe	
Verb mit nicht trennbarer Vorsilbe	
Verb mit Präposition	

R & A

RAT UND AUSKUNFT

Leser fragen – Fachleute antworten

Sprechenlernen schon bei Babys fördern?

Frage: Ich habe gelesen, dass Eltern schon bei ganz kleinen Kindern viel tun können, um das Sprechenlernen zu unterstützen. Mein Tobias ist jetzt drei Monate alt. Gibt es irgendwelche Übungen, die ich mit ihm machen kann?

Antwort: Wenn Sie Übungen meinen, mit denen Vokabular oder Grammatik geschult werden sollen, lautet die Antwort klar: Nein. Es gab und gibt zwar immer wieder Versuche, älteren Babys zum Beispiel mit Leselernkärtchen bestimmte Worte, auch Fremdsprachen beizubringen. Doch so etwas wird leicht zur Dressur. Bei Babys mit drei, vier Monaten wäre das auch noch nicht möglich. Allerdings sind Kinder in diesem Alter schon in der Lage, Lautkombinationen und Tonhöhe sehr fein auseinanderzuhalten.

Dr. Karin Großmann, Entwicklungspsychologin

b Was möchte die Leserin wissen?

c Welche Meinung vertritt die Expertin? Was rät sie der Frau?

zu Seite 27, 2

3 Verbarten → GRAMMATIK

Sortieren Sie die folgenden Verben aus den Lesetexten im Kursbuch.

sich aneignen – arbeiten – aufnehmen – ausbilden – bearbeiten – beherrschen – beobachten – betreffen – bleiben – durchführen – empfehlen – erfassen – erinnern – erreichen – erwarten – fallen – führen – geschehen – herausfinden – hineinwachsen – hinzukommen – imitieren – kommen – können – leben – leisten – lernen – müssen – notieren – passieren – reagieren – setzen – sprechen – stehen – suchen – übersetzen – unterhalten – unternehmen – untersuchen – verbessern – verbinden – vergleichen – verzichten – vollziehen – vorgehen – weglassen – wollen – zeigen

Grundverben + Ergänzung	Verben mit trennbarer Vorsilbe	Verben mit nicht trennbarer Vorsilbe	Verben + feste Präposition	Modalverben
arbeiten zeigen + Dat. + Akk.	sich aneignen	bearbeiten	erinnern an + Akk.	können

zu Seite 30, 3a

4 Sprachen lernen → GRAMMATIK

Ergänzen Sie die fehlenden Verben.

abhängen – achten – ankommen – denken – gehen – gehören – sich gewöhnen – sich handeln – liegen – teilnehmen – verzichten – zählen

a Bei diesem Text handelt es sich **um** eine Reportage.
b Es .... darin **um** die Frage, wie Erwachsene am besten Fremdsprachen lernen.
c Der Autor .... wahrscheinlich **zu** den Menschen, die am liebsten in der fremdsprachlichen Umgebung lernen.
d Doch viele Menschen müssen aus Zeitgründen **auf** einen Auslandsaufenthalt ....
e Sie haben die Möglichkeit, **an** einem Kurs in ihrer Heimat ....
f Beim Sprachenlernen .... es sehr **auf** die Motivation ...., die jemand mitbringt.
g Die Erfolgsaussichten beim Erlernen einer Fremdsprache .... außerdem **vom** Alter ....
h Kinder und Jugendliche .... sich zum Beispiel schneller **an** fremde Laute als Erwachsene.
i Erwachsene dagegen .... mehr **auf** Fehler, die sie in der Grammatik machen.
j Wenn man nicht gut lernt, dann .... es oft **an** einem schlechten Gedächtnis.
k Deshalb sollte man **daran** ...., dass Wörter oft wiederholt werden müssen.

zu Seite 30, 3a

5 Verben mit Präpositionen → GRAMMATIK

Ergänzen Sie die fehlenden Präpositionen.

a Erika ist eine nette Kollegin – sie hat mir schon oft bei Problemen mit dem Computer **geholfen**.
b Sie **beschäftigt** sich sehr viel .... Computern und kennt sich sehr gut aus.
c Ich **wundere** mich dar............, wie schnell sie den Computer bedienen kann.
d Man kann sich wirklich .... sie **verlassen**.
e Ihre Zuverlässigkeit **unterscheidet** sie .... manchen anderen Kollegen.
f Erst gestern habe ich sie wieder .... Hilfe **gebeten**.
g .... diese Hilfe habe ich mich noch nicht **bedankt**.
h Ich hoffe, sie **ärgert** sich nicht .... mich.
i Wir müssen uns endlich .... eine Wohnung **entscheiden**.
j Bei dem ersten Angebot **handelt** es sich .... eine Erdgeschosswohnung.
k .... dieser Wohnung **gehört** auch ein kleiner Garten.
l Leider könnte ich mich schlecht .... den Lärm auf der Straße **gewöhnen**.
m Die Vermieter **warten** schon seit Wochen .... einen Interessenten.
n Als wir die Wohnung besichtigten, **fingen** sie gerade .... der Renovierung **an**.
o Dabei haben sie sich nicht genau .... die Vorschriften **gehalten**.
p Ich denke, wir sollten noch einmal in Ruhe .... beide Angebote **nachdenken**.
q Vielleicht sollten wir noch einmal einen Termin .... den Besitzern **vereinbaren**.
r Alle **reden** .... das Wetter, wir nicht.
s Wir **freuen** uns einfach .... jeden sonnigen Tag.
t .... die ständige Jammerei könnte ich mich wirklich **aufregen**.
u Ich **bitte** deshalb dar............, dass dieses Thema nicht mehr angesprochen wird.
v Sich .... das Wetter zu **ärgern** hat überhaupt keinen Sinn.
w Man muss sich eben .... unser Klima **anpassen**.
x Ich **beschwere** mich ja gar nicht .... das Wetter.
y Gut, dann wechseln wir jetzt das Thema und **sprechen** .... etwas Erfreulichem.

zu Seite 30, 3b

6 Wortbildung: Nicht trennbare Vorsilbe *be-* → GRAMMATIK

Formen Sie die Sätze um.
Beispiel:
Bitte **antworte auf** meine Fragen. *Bitte beantworte meine Fragen.*
Wir **bedanken** uns für die Einladung. *Wir danken für die Einladung.*

a Sie **kämpfen** gegen ihre Feinde.
b Wie **beurteilen** Sie diesen Fall?
c Hoffentlich wird sie unserem Rat **folgen**.
d Wir **wohnten** in einem kleinen Appartement.
e Wir **bestaunen** den modernen Außenlift.

zu Seite 30, 3b

7 Wortbildung: Nicht trennbare Vorsilbe *ver-* → GRAMMATIK

Welches Nomen passt zu welchem Verb?

Verb	Nomen
verblühen	das Brot
verbrennen	die Geräte aus Eisen
verdampfen	die Häuser
verderben	die Kohle
verfallen	die Blumen
vergehen	das Lebewesen
verhungern	die Musik
verklingen	das Obst
verrosten	die Schmerzen
verschimmeln	das Wasser

zu Seite 30, 3b

8 Wortbildung: Nicht trennbare Vorsilbe *ver-* + Adjektiv → GRAMMATIK

Bilden Sie aus den Adjektiven Verben mit der Vorsilbe *ver-*. Verwenden Sie bei Adjektiven mit den Vokalen *a*, *o* und *u* den Umlaut.
Setzen Sie dann die passenden Verben in die Sätze ein.

besser	scharf
billig	schön
öffentlich	stark
kurz *verkürzen*	teuer

a Die Arbeitszeit wird um zwei Stunden pro Woche *ver*kürzt.
b Die Lebenshaltungskosten haben sich in diesem Jahr kaum *ver*..........
c Im Winterschlussverkauf werden alle Waren sehr stark *ver*..........
d Mit den neuen Möbeln hat sie die Wohnung wirklich *ver*..........
e Wir müssen unsere Anstrengungen *ver*..........
f Die Arbeitsbedingungen müssen *ver*.......... werden.
g Die Krise der Wirtschaft hat sich leider *ver*..........

zu Seite 30, 3b

9 Wortbildung: Nicht trennbare Vorsilbe *ent-* → GRAMMATIK

Was tut man

a. mit einer Weinflasche? Man entkorkt sie, d.h. man zieht den Korken heraus.
b. nach einem anstrengenden Tag? Man .... sich, d.h. man baut Spannung ab.
c. mit Müll? Man .... ihn, d.h. man sorgt für seine Beseitigung.
d. mit einem Einbrecher? Man .... ihn, d.h. man nimmt ihm die Waffe weg.
e. mit einem unfähigen Politiker? Man .... ihn, d.h. man nimmt ihm die Macht.
f. mit einem Fahrschein? Man .... ihn, d.h. man nimmt ihm seinen Wert.

zu Seite 30, 3b

10 Wortbildung: Nicht trennbare Vorsilben *er-* und *zer-* → GRAMMATIK

Ergänzen Sie die Tabelle.

die Mafia – das verdorbene Essen – gekochte Kartoffeln mit der Gabel – sich selbst aus Verzweiflung – ein Stück Papier – einen Passagier in einem überfüllten Bus fast – jemanden mit einem Beil – ein Glas – eine Ameise – ein Haus durch eine Bombe – ein Haus/Auto

Grundverb	mit Vorsilbe ***er-*** oder ***zer-***	Wen oder Was?
drücken	erdrücken zerdrücken	einen Passagier in einem überfüllten Bus fast gekochte Kartoffeln mit der Gabel
schlagen	erschlagen zerschlagen	
brechen	erbrechen zerbrechen	
werben	erwerben	
hängen	erhängen	
reißen	zerreißen	
treten	zertreten	
stören	zerstören	

zu Seite 30, 3c

11 Das Verb in der deutschen Sprache → LESEN/GRAMMATIK

Lesen Sie, was der amerikanische Schriftsteller Mark Twain (1835–1910), der selbst Deutsch gelernt hatte, nach dieser Erfahrung über das Verb in der deutschen Sprache schrieb.

Im Deutschen hat man auch die Angewohnheit, die Verben auseinander zu setzen und zu zerreißen. Man stellt die eine Hälfte an den Anfang irgendeines Satzbaus und die zweite Hälfte an das Ende. Etwas Verwirrenderes kann man sich nicht vorstellen. Man nennt die betreffenden Zeitwörter zusammengesetzte Verben. Ein sehr beliebtes Zeitwort ist das Verb „abreisen“. Ich gebe nachfolgend ein Beispiel aus einem deutschen Roman:
„Als die Koffer gepackt waren, reiste er, nachdem er Mutter und Schwester geküßt und noch einmal sein angebetetes Gretchen an die Brust gedrückt hatte, das in ihrem einfachen weißen Musselinkleidchen, eine einzige Tuberose in den prachtvollen Wellen ihres vollen braunen Haares, fast ohnmächtig die Treppe heruntergewankt war, noch bleich von den Schrecken und Aufregungen des verflossenen Abends, aber voll Verlangen, ihr armes, schmerzerfülltes Haupt noch einmal an die Brust dessen, den sie mehr liebte als ihr Leben, lehnen zu dürfen, ab.“

Um welches Phänomen geht es hier?

☐ die Bedeutung der Verben ☐ Verben im Perfekt ☐ trennbare Verben ☐ Verben mit Präpositionen

zu Seite 30, 4

12 **Das Verb *lassen* → WORTSCHATZ**

Wählen Sie die richtigen Vorsilben.

an- / aus- / ent- / er- / hinter- / ~~nach-~~ / über- / ver- / zer- / zu-

a) Der Regen hat schon wieder etwas nachgelassen.
b) Frau Meyer hat ihren Mann nach 20 Jahren Ehe ....
c) Vor wenigen Wochen wurde das neue Gesetz ....
d) Wie konntest du ...., dass der kleine Thomas allein das Fenster öffnet!
e) Ich glaube, Sie haben beim Abschreiben des Textes einen ganzen Satz ....
f) Die Firma musste wegen der schlechten Wirtschaftslage viele Angestellte ....
g) Ihre Sekretärin hat angerufen, als Sie nicht da waren. Sie hat eine Nachricht für Sie ....
h) Mit dem Auto stimmt was nicht. Ich habe schon mehrmals vergeblich versucht, den Motor ....
i) Wenn Sie in unsere Wohnung einziehen, können wir Ihnen einige der Möbel ....
j) Für dieses Rezept muss man zuerst in einer Pfanne etwas Butter ....

2

zu Seite 30, 4

13 **Bedeutungswandel durch Vorsilben → WORTSCHATZ/GRAMMATIK**

Ergänzen Sie die Sätze.

a) fahren:
befahren – erfahren – verfahren

1. Die Situation ist völlig verfahren.
2. Ich habe mich wegen der Umleitung ....
3. Bei der Befragung haben wir nichts Genaues ....
4. Diese Straße ist stark ....

b) tragen:
betragen – ertragen – vertragen

1. Ich kann Alkohol nicht ....
2. Die Rechnung .... 220 Euro.
3. Die Kinder haben sich leider nicht gut ....
4. Ich kann diese Unsicherheit nicht länger ....

c) setzen:
besetzen – ersetzen – versetzen

1. Mein Kollege wird bald auf einen anderen Posten ....
2. Diesen Verlust kann man schwer ....
3. Dieses Haus wurde von jungen Arbeitslosen ....
4. Er ist wieder nicht gekommen. Er hat mich zum zweiten Mal ....

d) stellen:
bestellen – erstellen – verstellen

1. Ich werde mir ein Bier ....
2. Wir müssen einen Projektplan ....
3. Wer hat die Uhr ....?

e) legen:
belegen – erlegen – verlegen

1. Unsere Zimmer sind zurzeit alle ....
2. Ich kann meinen Pass nicht finden. Ich muss ihn .... haben.
3. Er hat auf der Jagd gestern ein Reh ....

LEKTION 2

zu Seite 30, 4

14 Bilderrätsel → WORTSCHATZ

Sehen Sie sich die drei Bilder an. Erklären Sie, was die Leute *machen*.

zu Seite 30, 4

15 Das Verb *machen* → WORTSCHATZ

a Was kann man alles machen? Suchen Sie weitere Beispiele.

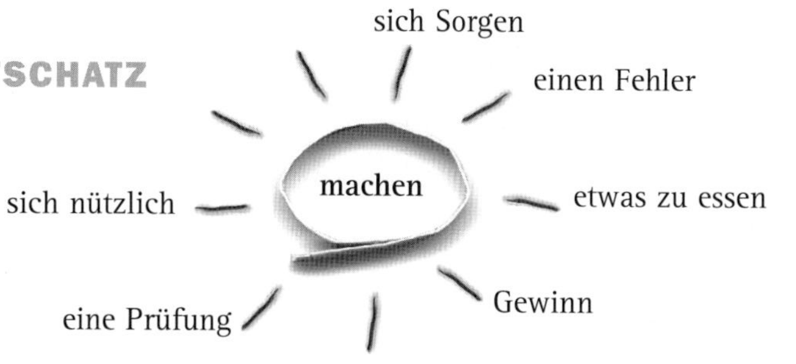

b Was kann man auf Deutsch nicht machen? In der folgenden Liste verstecken sich drei Fehler. Welche sind es?

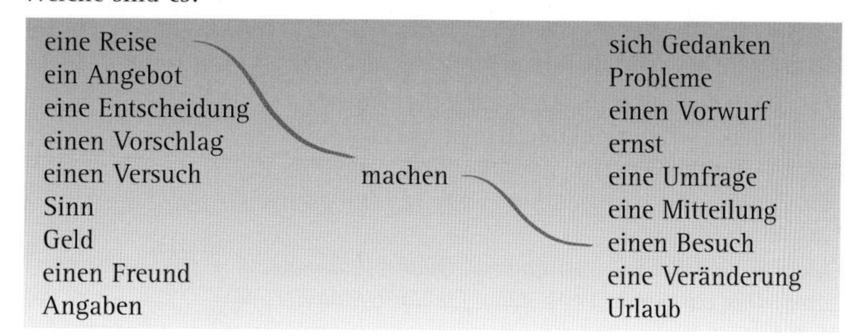

eine Reise
ein Angebot
eine Entscheidung
einen Vorschlag
einen Versuch
Sinn
Geld
einen Freund
Angaben

machen

sich Gedanken
Probleme
einen Vorwurf
ernst
eine Umfrage
eine Mitteilung
einen Besuch
eine Veränderung
Urlaub

c Nomen-Verb-Verbindungen
Welche Nomen-Verb-Verbindungen aus Aufgabe 15b lassen sich zu einem einfachen Verb umformen?

Beispiel: *eine Reise machen – reisen*

d *machen* + trennbare Vorsilbe
Verbinden Sie die Wörter zu sinnvollen Ausdrücken und erklären Sie die Bedeutung. Mehrere Verbindungen sind möglich.

Vorsilbe	Nomen	Ausdruck	Erklärung
auf-	einen Fleck		
zu-	das Licht		
an-	die Tür	*die Tür aufmachen*	*die Tür öffnen*
aus-	eine Bewegung		
vor-	eine schwere Zeit		
nach-	einen Termin		
ab-	das Obst aus dem Garten		
durch-	ein Vermögen		
ein-	die Arbeit eines Kollegen		
mit-	das Radio		
ver-	das Fenster		
weg-	eine Turnübung		

2

zu Seite 30, 4

16 Nomen-Verb-Verbindungen → WORTSCHATZ

Ordnen Sie den Nomen die passenden Verben zu.
Mehrere Lösungen sind möglich.

Nomen	Verb
ein Gespräch	anschneiden
ein Referat	bringen
ein Thema	erteilen
eine Antwort	führen
eine Auskunft	geben
eine Frage	haben
eine Rede	halten
einen Hinweis	kommen
einen Rat	stehen
ins Gespräch	stellen
zum Ausdruck	
zur Diskussion	
zur Sprache	

2

zu Seite 31, 3

17 Die Schweiz: Zahlen und Daten → SCHREIBEN

Lesen Sie den Lexikoneintrag über die Schweiz. Schreiben Sie dann mit den fett gedruckten Stichwörtern einen Text über Ihr Land. Schätzen Sie die Zahlen oder schlagen Sie in einem Lexikon nach. Beginnen Sie so:
Mein Heimatland, ..., ist etwa ... Quadratkilometer groß. Das entspricht etwa der ...fachen Größe der Schweiz.

Schweiz Schweizerische Eidgenossenschaft, Confédération suisse (französisch), Confederazione Svìzzera (italienisch); Kurzformen: Suisse; Svìzzera
Fläche: (Weltrang 133) 39 987,5 km²; **Einwohner:** 7 019 019; **Hauptstadt:** Bern; **Währung:** Schweizer Franken zu 100 Rappen; **Amtssprachen:** Deutsch, Französisch, Italienisch, Rätoromanisch; **Landesstruktur:** Bundesstaat, 26 Kantone; **Landesnatur:** über 2/3 der Landesfläche Alpen; **Bevölkerung:** 63,7 % der Einheimischen Deutsch, 19,2 % Französisch, 7,6 % Italienisch, 0,6 % Rätoromanisch, 8,9 % Sprachen der ausländischen Arbeitnehmer; **Religion:** 46,1% Katholiken, 40,0 % Protestanten, 2,2 % Muslime, 0,3 % Juden; **Städtische Bevölkerung:** 61 %; **Städte:** Zürich 343 869, Basel 174 007, Genève (Genf) 173 549, Lausanne 115 878

zu Seite 31, 6

18 Sprache(n) in meinem Heimatland → SCHREIBEN

Berichten Sie über die Situation der Sprache in Ihrem Heimatland.
Behandeln Sie folgende Aspekte:
- Wie viele Muttersprachen gibt es in Ihrem Heimatland?
- Welche Dialekte gibt es, wie stark unterscheiden sie sich von der Hochsprache?
- Welche Sprache sprechen Sie zu Hause oder mit Freunden?

zu Seite 31, 6

19 Lernen und studieren → SCHREIBEN

Ordnen Sie die Wörter in die richtigen Kästchen. Einige Begriffe passen sowohl zu *lernen* als auch zu *studieren.*

lernen

Wer?	Bei wem?	Wo?	Womit?	Was?	Wie?
der Schüler/ die Schülerin	dem Lehrer/ der Lehrerin	in der Schule	mit dem Lehrbuch	die Fremdsprache	systematisch

eifrig – das Lehrwerk – der Kursleiter/die Kursleiterin – die Kassette – die Hochschule – auswendig – der Lehrer/die Lehrerin – intensiv – das Institut – der Student/die Studentin – der Unterrichtsraum – der Hörsaal – der Lernstoff – die Fremdsprache – der Dozent/die Dozentin – die Schule – die Vorlesung – das Klassenzimmer – Naturwissenschaften – das Fach – Deutsch – Geisteswissenschaften – die Lernkartei – der Professor/die Professorin – systematisch – Germanistik – das Lehrbuch – der Schüler/die Schülerin – die Sekundärliteratur – die Bibliothek – die Fachliteratur – praxisorientiert – der Kursteilnehmer/ die Kursteilnehmerin – genau

Wer?	Bei wem?	Wo?	Womit?	Was?	Wie?

studieren

zu Seite 31, 6

20 Schulen in Deutschland → WORTSCHATZ

Suchen Sie die passende Definition.

		Hochschule/Fachhochschule		
Berufsschule		Gymnasium	Gesamtschule (Hauptschule, Realschule, Gymnasium)	12./13. Klasse
Hauptschule	Realschule			10. Klasse
Grundschule				4. Klasse 1. Klasse

- **a** Universität
- **b** Schulart, die bis zur neunten oder zehnten Klasse führt. Die meisten Schüler beginnen danach eine Berufsausbildung im Betrieb und besuchen daneben bis zum 18. Lebensjahr die Berufsschule.
- **c** Schule, die von allen Auszubildenden während ihrer Lehre besucht wird und theoretische Kenntnisse zum Beruf vermittelt.
- **d** Schulart zwischen Hauptschule und Gymnasium, endet nach der zehnten Klasse mit dem Realschulabschluss.
- **e** Hochschule, an der bestimmte Fächer praxisnah studiert werden. Beispiele für Berufe, die man mit einem Abschluss an dieser Schule ausüben kann: Ingenieur, Sozialpädagoge, Informatiker.
- **f** Erste Schule für alle Kinder ab dem Alter von sechs Jahren; umfasst vier Schuljahre.
- **g** Diese Schulart vereint die drei Schulformen Hauptschule, Realschule und Gymnasium unter einem Dach. Das Modell existiert nur in einigen Bundesländern.
- **h** Schulart, die von der fünften bis zur zwölften oder dreizehnten Klasse besucht wird und mit dem Abitur endet. Dieses ermöglicht den Zugang zur Universität.

zu Seite 32, 1

21 Erinnerungstechnik → **LERNTECHNIK**

Musik	– spielen	– Klavier	– Konzertsaal
Mutter	– füttern	– Säugling	– Flasche
Lehrer	– unterrichten	– Mathematik	– Tafel
Mechaniker	– reparieren	– Auto	– Werkstatt

zu Seite 33, 4

22 Formeller Brief → **SCHREIBEN**

Was ist typisch für einen formellen bzw. offiziellen Brief? Kreuzen Sie an.

Datum
- ☐ 17/03/20..
- ☐ Frankfurt, 17. 03. 20..
- ☐ im März 20..

Betreff
- ☐ Reklamation ...
- ☐ per Fax
- ☐ (keinen)

Anrede
- ☐ Liebe Leser,
- ☐ Verehrte Dame,
- ☐ Sehr geehrte Damen und Herren,

Anredeform ☐ Du ☐ Ihr ☐ Sie

Gruß
- ☐ Beste Grüße
- ☐ Hochachtungsvoll
- ☐ Mit freundlichen Grüßen

zu Seite 33, 4

23 Brief nach Stichworten → **SCHREIBEN**

Sie erhalten den folgenden Brief.

Fürstenstr. 13 · 70913 Stuttgart

ABC Sprachreisen

Frau
Monika Schmidtbauer
Gautinger Straße 18

82234 Oberpfaffenhofen

Stuttgart, den 27. März 20..

Sehr geehrte Frau Schmidtbauer,

wir möchten Ihnen in Zukunft noch besseren Service und Beratung bieten.

Um unsere Leistungen für Sie zu verbessern, brauchen wir Ihre Meinung. Entscheidend ist vor allem, welche Anforderungen und Wünsche Sie an ein gutes Reiseunternehmen stellen – und welche Erfahrungen Sie in letzter Zeit mit ABC-Sprachreisen gemacht haben.

Bitte schreiben Sie uns. Ihre möglichst offene und ehrliche Meinung ist uns wichtig. Sie hilft uns, die Leistungen von ABC-Sprachreisen für unsere Kunden noch besser zu gestalten. Und davon profitieren auch Sie persönlich.

Als Dankeschön schicken wir jedem Teilnehmer an dieser Aktion unseren neuesten Katalog sowie ein kleines Präsent.

Mit freundlichen Grüßen

Eberhard Schneider

Dr. Eberhard Schneider
Geschäftsführer

Verfassen Sie ein Antwortschreiben zu dem Brief auf der vorhergehenden Seite. Verwenden Sie dazu folgende Stichworte.

Ihre Anfrage – *Sehr geehrt...* – vor drei Jahren eine Reise nach Staufen – positiv: Kursangebot/Ausstattung der Schule mit ... – negativ: Rahmenprogramm/wenig Zeit für ... – Wunsch für die Zukunft: Kombination Urlaub, Sprache, Sport – *Mit freundlichen Grüßen* – Name

zu Seite 33, 4

24 Stilblüten → WORTSCHATZ

Was wollte der Briefschreiber eigentlich sagen?
Korrigieren Sie die folgenden Zitate aus Briefen von Deutschlernern.
Beispiel: Vielen Dank für Ihr Schreiben, das Sie am 31. 7. abgesondert haben.
Vielen Dank für Ihr Schreiben vom 31. 7.

- a Ich habe kürzlich Ihren interessanten Brief getroffen.
- b Sie können sich nicht vorstellen, wie Ihr Päckchen mir ins Herz geht.
- c Ich hoffe, dass Ihre Zeitschrift weiter zu mir laufen wird.
- d Senden Sie mir bitte Fachzeitschriften als Hilfsmittel gegen meine Berufstätigkeit.
- e Schicken Sie bitte die Zeitschrift mit Wasserpost.
- f Ich möchte mitteilen, dass ich mich umgezogen habe.
- g Meine neue Adresse liegt unten.
- h Ich grüße Sie am Herz und bedanke mich.
- i Lieben Sie wohl und Gott mit Ihnen!

zu Seite 36, 6

25 Pro und Kontra → WORTSCHATZ/SPRECHEN

Ergänzen Sie die fehlenden Redemittel. Nehmen Sie das Kursbuch (Seite 36) zu Hilfe.

Also, das System der Online-Schule ist eine ganz moderne Sache. **Im Grunde** geht es dabei um die Frage: Wie können Menschen eine Fremdsprache lernen, die weit entfernt von einer Schule und einem Lehrer leben? **Wir dürfen nicht** ...., dass nicht alle Menschen in Großstädten wohnen, wo man alle Möglichkeiten hat. Der PC bringt den Unterricht gleichzeitig zu Menschen, die über verschiedene Orte der Welt verstreut sind. **Dazu** .... **der** Zeitersparnis. Die Lehrer schicken den Teilnehmern Übungen auf den Bildschirm ihres Computers. Jeder Schüler schickt seine gelösten Aufgaben per elektronischer Post zum Lehrer und bekommt sie auf demselben Weg am selben Tag korrigiert zurück. **Ein weiterer wichtiger** .... **ist**, dass die Schüler sehr individuell unterrichtet werden. In unserer Schule **wird besonderer** .... die speziellen Bedürfnisse des einzelnen Lerners gelegt.

Also, ich muss sagen, **Sie haben mich nicht** ....**. Ich** ...., dass die Online-Schule das System der Zukunft wird. **Ich bin sogar der** ...., **dass** Online-Schulen Teil einer ganz negativen Entwicklung sind. Ich bin nämlich .... **überzeugt**, dass die Menschen, die mit diesem System lernen, sehr einsam werden. **Ich glaube** ...., **dass** viele Menschen Spaß an dieser Art des Lernens haben werden. ...., **dass** man beim gemeinsamen Lernen in einer normalen Klasse viele Anregungen von den Mitschülern bekommt. **Ich finde daher** ...., **dass** man in der Online-Schule schneller lernt, nicht überzeugend. Wir .... **schließlich nicht vergessen**, dass kaum jemand gern stundenlang am Computer eine Fremdsprache lernt, ohne mal den Lehrer direkt sprechen zu hören oder direkt mit ihm zu sprechen.

zu Seite 37, 2

26 Lesestile → LERNTECHNIK

Man geht nicht an jeden Text gleich heran. In welchem Stil man einen Text liest, hängt vielmehr davon ab, mit welcher Absicht man ihn liest. Wie genau lesen Sie folgende Texte?
Zeitung – Krimi – Kleinanzeige – Gedicht – Werbeanzeige

a **Globales oder überfliegendes Lesen** Will man wissen, worum es in einem Text geht, sich einen ersten Überblick verschaffen, dann überfliegt man ihn zuerst einmal. Diese Technik verwendet man zum Beispiel bei der ersten Seite einer Zeitung, die die Nachrichten enthält, oder bei einem Text wie dem Lesetext im Kursbuch Seite 29. Man versucht, rasch die wichtigsten Informationen zu entnehmen, hält sich aber nicht bei den Einzelheiten auf.

b **Selektives oder suchendes Lesen** Sucht man dagegen zum Beispiel in den Stellenanzeigen der Zeitung ein geeignetes Angebot, dann interessiert man sich nur für bestimmte Informationen aus einem Text, etwa für die Art der Tätigkeit, die Arbeitszeit usw. Man sucht die Anzeigen nach diesen Vorgaben oder Schlüsselbegriffen ab. Wenn man etwas Geeignetes gefunden hat, liest man die Anzeige dann genauer. Auch dieser Lesevorgang geschieht relativ rasch.

c **Detailliertes oder genaues Lesen** Bei einem Gedicht oder einer Glosse will man meistens alles genau verstehen. Alle Einzelheiten und Nuancen sind bei diesen Texten wichtig. Man liest sie Wort für Wort. Dazu braucht man hohe Konzentration, Zeit und eventuell Hilfsmittel wie das Wörterbuch. Liest man einen Text in der Fremdsprache, verwendet man vielleicht außerdem noch Stifte zum Markieren bzw. Unterstreichen und macht sich Notizen.

zu Seite 37, 2

27 Textsorte und Lesestil → LERNTECHNIK

Ordnen Sie jeder der folgenden Textsorten einen möglichen Lesestil zu und nennen Sie einen Grund.

Textsorte	Lesestil global	selektiv	detailliert	Grund
Stellenanzeigen				
Übung im Lehrbuch				
Gedicht				
Zeitungsnachrichten				
Gebrauchsanweisung				
Beipackzettel für Medikamente				
Katalog				

LEKTION 2

zu Seite 37, 2

28 Lesetraining: Buchstabenschlange → LESEN

Erkennen Sie in der Buchstabenschlange einen Text?
Markieren Sie Wortgrenzen und Satzzeichen. Lesen Sie den Text in der Klasse mit der richtigen Betonung vor.

MIT|BÜCHERN|BINICHAUSDERWIRKLICHKEITGEFLOHENMITBÜCHERN
BINICHINSIEZURÜCKGEKEHRTICHHABELESENDMEINEUMGEBUNGVERGESSEN
UMDIEUMGEBUNGENANDERERZUERKUNDEN
AUFSÄTZENBINICHDURCHDIEZEITENGEREISTUND
RUNDUMDIEERDEBÜCHERHABENMIRANGSTGEMACHTUNDBÜCHERHABEN
MICHERMUTIGTSIESINDMEINEWAFFEEINEANDEREHABEICHNICHT

zu Seite 38, 10

29 Canettis Erinnerungen → GRAMMATIK

Ergänzen Sie die fehlenden Präpositionen.

auf – an – bei – gegen – mit – nach – über – um – vor – zu – für

- a Canetti erinnert sich in seiner Autobiografie dar*an*..........., wie er Deutsch gelernt hat.
- b Er ärgerte sich dar.........................., dass seine Mutter ihm kein Buch gab.
- c Ein Buch hätte ihm möglicherweise .... Lernen helfen können.
- d Trotzdem wagte er nicht, ... diese Methode zu protestieren.
- e Notgedrungen gewöhnte er sich schnell dar...........................
- f Er bemühte sich sehr dar.........................., sich .... den Unterricht einzustellen.
- g Er arbeitete intensiv .... den Sätzen und seiner Aussprache.
- h Das Ganze lief dar.......................... hinaus, dass er sich total .... die gesprochenen Sätze konzentrieren musste.
- i Er schämte sich .... seine Fehler und sehnte sich .... Anerkennung.
- j Auf den Hohn seiner Mutter, ... dem er sich fürchtete, reagierte er .... Angst.
- k Canetti wundert sich selbst .... den Erfolg, den die Methode seiner Mutter gehabt hat.
- l Seine Erfahrungen führten erstaunlicherweise nicht .... einer Abneigung gegen das Deutsche.

zu Seite 38, 10

30 Frau Canettis Methode → GRAMMATIK

Ergänzen Sie die fehlenden Verben im Präteritum.

abhängen – achten – ausgehen – basieren – beginnen – bestehen – sich ent~~s~~cheiden

- a Canettis Mutter *entschied*.......... sich für eine eigenwillige Methode.
- b Diese .... darin, ihrem Sohn einzelne Sätze beizubringen.
- c Dabei .... ihr Unterricht ausschließlich auf einer englisch-deutschen Grammatik.
- d Sie .... davon ...., dass man über das Gedächtnis allein besser lernt als mithilfe eines Buches.
- e Der tägliche Unterricht .... damit, dass sie das Lernpensum vom Vortag abfragte.
- f Damit .... der Lernerfolg in erster Linie davon ...., wie intensiv der Junge sein Gedächtnis trainierte.
- g Sie .... außerdem ganz besonders auf die Aussprache.

zu Seite 38, 10

31 Kaspar Hauser → **LESEN**

ⓐ Lesen Sie die Inhaltsangabe. Was hat der Film mit dem Thema „Sprache" zu tun?

ⓑ Finden Sie Beispiele für folgende Grammatikthemen:

Grammatikthema	Beispiel
Verben mit Präpositionen + *Dat.*	vertauschen mit
Verben mit Präpositionen + *Akk.*	
Verben mit trennbarer Vorsilbe	
Verben mit nicht trennbarer Vorsilbe	

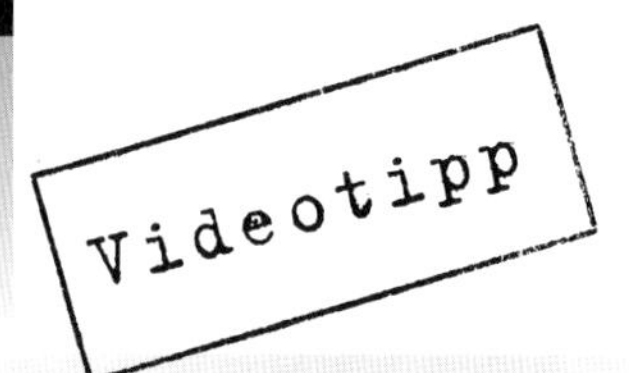

KASPAR HAUSER – VERBRECHEN AM SEELENLEBEN

***URAUFFÜHRUNG* FILMFEST MÜNCHEN 1993 *DREHBUCH* PETER SEHR**

***GENRE* POLIT-THRILLER, BIOGRAFIE, HISTORIENFILM**

Der Film erzählt die Lebensgeschichte Kaspar Hausers, der nach seiner Geburt als Erbprinz am badischen Hof im Jahre 1812 von einer skrupellosen Gräfin mit einem sterbenden Säugling vertauscht wird. Man hält das tote Baby für den letzten Erben. Durch diese Intrige beeinflusst die Gräfin die Thronfolge in ihrem Sinne. In einem unbewohnten Schloss im Keller hält man Kaspar Hauser zwölf Jahre lang eingesperrt. Er wächst fast ohne menschlichen Kontakt auf. 1828 wird der fast sprachlose Jüngling von seinen Bewachern nach Nürnberg gebracht und freigesetzt. Dort wird er zunächst über seine Herkunft ausgefragt, ins Gefängnis gesteckt und dort von der Bevölkerung als Kuriosität bestaunt. Nach der Intervention eines Juristen wird Kaspar bei einem Professor untergebracht und lernt innerhalb kürzester Zeit Sprechen, Lesen und Schreiben. Kaspar Hauser wird ein pädagogischer Forschungsfall. Doch bald darauf holt die Vergangenheit den jungen Mann ein: Er entgeht nur knapp einem Mordanschlag und wird in Intrigen seiner aristokratischen Feinde verwickelt.

Der Findling, der ein Prinz war und zwölf Jahre in einem Kerker gehalten wurde – ein authentischer Fall und ein bis heute nicht ganz geklärter Polit-Thriller. Peter Sehr erzählt diese Geschichte chronologisch, detailliert, mit vielen Aspekten der neuen Hauser-Forschung.

zu Seite 38, 10

32 sagen, erzählen, reden, sprechen → **WORTSCHATZ**

Wie lauten diese Wörter in Ihrer Muttersprache?

Deutsch	Muttersprache
sprechen	
erzählen	
sagen	
reden	

Ergänzen Sie die Sätze. Manchmal sind mehrere Lösungen möglich.

ⓐ „Hallo", ...sagt... sie, „mein Name ist Elfi. Ich arbeite hier."
ⓑ Elfi ...., woher sie kommt und was sie bisher gemacht hat.
ⓒ Meine kleine Tochter lernt gerade ....
ⓓ Ich .... Spanisch und Französisch. Mein Freund .... auch Französisch.
ⓔ Er .... ununterbrochen.
ⓕ .... doch etwas zu ihm!
ⓖ Kann ich mal bitte mit deiner Mutter ....?
ⓗ .... doch bitte etwas lauter mit mir!
ⓘ Man ...., er habe Millionen verdient.
ⓙ „Um Gottes willen", ... er, „du hättest mich beinahe umgebracht!"

1
LERNER-CD 5

Der Wortakzent

Hören Sie diese Wörter. Unterstreichen Sie die betonten Silben.
Lesen Sie die Wörter laut.

Buch	Handbuch	Kursbuch	das Kursbuch
Land	Inland	Ausland	das Ausland
Hund	Wolfshund	Wachhund	der Wachhund
Tuch	Betttuch	Handtuch	das Handtuch

2
LERNER-CD 6

Worterweiterung

Hören Sie sechs Verben.

a Unterstreichen Sie beim Hören die Silbe, auf der der Akzent liegt.

lernen	Lerner	Lernerin	die Lernerinnen
lehren			
lesen			
dichten			
spielen			

b Bilden Sie die dazugehörigen Nomen.

c Was passiert mit dem Akzent, wenn das Wort mehr Silben bekommt und ein Artikel dazukommt?

d Hören Sie die Wörter noch einmal und sprechen Sie nach.

3
LERNER-CD 7

Betonung von trennbaren Verben

Hören Sie sechs Verbpaare. Unterstreichen Sie beim Hören die Akzentsilbe. Was passiert mit dem Akzent?

machen	mitmachen
geben	abgeben
schreiben	aufschreiben
hören	zuhören
sprechen	nachsprechen
lesen	vorlesen

4
LERNER-CD 8

Trennbar?

Hören Sie sechs Sätze.
Unterstreichen Sie beim Hören die Akzentsilbe im Verb.
In welcher Spalte befinden sich die trennbaren Verben?

a Könnten Sie bitte das Fenster **zumachen**?

b Das Fenster ist so schmutzig, man kann kaum mehr **durchschauen**.

c Ich würde dich gern bald **wiedersehen**.

a Ach nein, die Hausaufgaben brauchst du jetzt nicht **zu machen**.

b Er ist ein geheimnisvoller Typ. Keiner kann ihn **durchschauen**.

c Seit seiner Operation kann er **wieder sehen**.

2

LEKTION 2

Lernkontrolle: Was haben Sie in dieser Lektion gelernt?

Kreuzen Sie an.

Ich kann ...

Lesen

- ☐ ... eine populärwissenschaftliche Reportage zum Thema *Fremdsprachenlernen* in ihren Hauptaussagen und Einzelheiten verstehen.
- ☐ ... einen Auszug aus einem autobiografischen Roman von Elias Canetti in der Originalfassung verstehen.
- ☐ ... indirekte, implizite Informationen in diesem Text verstehen und interpretieren.

Hören

- ☐ ... ein längeres Originalinterview mit einer Deutschschweizerin verstehen.
- ☐ ... diesem Gespräch zentrale Informationen über die Landessprachen in der Schweiz entnehmen.

Schreiben - Produktion

- ☐ ... Ratschläge zum richtigen Sprachenlernen verfassen.
- ☐ ... einen Lesetext sinnvoll ergänzen.
- ☐ ... eine formelle Anfrage an ein Reiseunternehmen verfassen.
- ☐ ... einen formellen Beschwerdebrief schreiben, der über standardisierte Formeln hinausgeht.

Schreiben - Interaktion

- ☐ ... typische Ausdrucksweisen und Textbausteine des formellen Briefes verwenden.

Sprechen - Produktion

- ☐ ... die emotionale Wirkung eines Fotos – *Mutter mit Baby* – beschreiben und dabei verschiedene Gefühle ausdrücken und erläutern.

Sprechen - Interaktion

- ☐ ... mich aktiv an einer Diskussion über Lernstrategien beteiligen.
- ☐ ... Beiträge und Argumente frei formulieren.
- ☐ ... meine Meinung klar begründen und verteidigen.
- ☐ ... Vor- und Nachteile darstellen und abwägen.
- ☐ ... das Gespräch steuernde Aktionen einsetzen, z.B. das Gespräch eröffnen und beenden, das Wort ergreifen.

Wortschatz

- ☐ ... Wortfelder durch systematisches Erarbeiten von Ober- und Unterbegriffen erweitern.

Grammatik

- ☐ ... Verben mit Präpositionen und der passenden Ergänzung richtig verwenden.
- ☐ ... Verben mit wechselnden Präpositionen richtig verwenden.
- ☐ ... bei Verben zwischen trennbaren und nicht trennbaren Vorsilben unterscheiden und diese richtig einsetzen.

Sprechen Sie mit Ihrem Kursleiter/Ihrer Kursleiterin über Tipps zum Weiterlernen.

Verben

ausgehen
auswählen
blenden
durchqueren
einziehen in + *Akk.*
etwas ergattern
erreichen
etwas (er-)schaffen
erweitern
kleben an + *Dat.*
konzentrieren
mitkriegen
pilgern
preisgeben
sich abhetzen
sich begeben in/an + *Akk.*/
zu + *Dat.*
sich verabreden
sich verspäten
umgestalten
vereinen
vorkommen in + *Dat.*

Nomen

der Abgeordnete, -n
die Anlage, -n
das Antiquariat, -e
die Apotheke, -n
der Architekt, -en
die Architektur
die Auffahrt, -en
der Bau, -ten
der Bewohner, -
der Block, ¨-e
die Boutique, -n
das Dach, ¨-er
das Denkmal, ¨-er
die Drogerie, -n
das Einkaufszentrum, -zentren
das Elektrizitätswerk, -e
die Fabrik, -en
die Fassade, -n
der Feinkostladen, ¨-en
der Fluss, ¨-e
das Gebäude, -
die Gemeinde, -n
der Hintergrund, ¨-e
das Kaffeehaus, ¨-er
das Kaiserreich
das Kaufhaus, ¨-er
der Kenner, -
die Keramik
der Kern, -e
der Kontrast, -e
die Konzerthalle, -n
die Kunstgalerie, -n
das Lokal, -e
der Marmor
die Moschee, -n
der Nachtklub, -s
der Pfeil, -e
das Pflaster, -
der Plattenladen, ¨-en
das Programm, -e
der Rasen, -
das Reformhaus, ¨-er
das Reich, -e
die Säule, -n
die Schachtel, -n
das Schreibwarengeschäft, -e
der Secondhandladen, ¨-en
die Sehne, -n
das Spektakel, -
die Stadtrundfahrt, -en
die Szene, -n
der Turm, ¨-e
der Überblick
die Verzierung, -en
das Viertel, -
das Volk, ¨-er
der Vordergrund
der Vorort, -e
der Wohnblock, -s
der Ziegel, -
das Zoogeschäft, -e

Adjektive/Adverbien

bemerkenswert
privilegiert
übersichtlich (un-)
verfrüht
zukünftig

Ausdrücke

eine ganz besondere Note haben
in den Himmel schießen
in die Hände spucken
sich abschrecken lassen von + *Dat.*
sich anlegen mit jemandem
sozialer Wohnungsbau
ein Gespür haben für etwas

1 Wörter lernen → WORTSCHATZ

Verbinden Sie die Wörter mit der richtigen Erklärung.

auswählen	sich zwischen verschiedenen Möglichkeiten entscheiden
erklären	von einer Sprache in die andere übertragen
sich konzentrieren	die Bedeutung eines Wortes angeben
erweitern	etwas noch einmal lernen
übersetzen	seine Aufmerksamkeit auf etwas richten
verstehen	die Bedeutung von etwas wissen
wiederholen	größer machen

zu Seite 41, 2

2 Beschreibung eines Ortes → SPRECHEN

a Beschreiben Sie Ihrer Lernpartnerin/Ihrem Lernpartner dieses Foto möglichst genau. Sie/Er hält ihr/sein Arbeitsbuch geschlossen.

Keine andere deutsche Stadt verändert sich so schnell wie Berlin; nirgendwo sonst fällt der Vergleich von Einst und Jetzt so überraschend aus wie etwa rund um den Reichstag.

das Dach, ¨-er
das Gebäude, -
die Architektur
die Auffahrt, -en
die Grünanlage, -n
die Säule, -n
der Park, -s
der Platz, ¨-e
der Rasen, -
der Turm, ¨-e
der Wohnblock, -s

Im Vordergrund sieht man ...
Im Hintergrund befindet sich ...
In der Bildmitte erkennt man ...
Vorne/Hinten/Links/Rechts/ Oben/Unten ...

b Ihre Lernpartnerin/Ihr Lernpartner beschreibt Ihnen ein Foto, das Sie nicht sehen. Betrachten Sie dabei das Foto oben. Versuchen Sie durch Fragen herauszufinden,

- was auf den beiden Fotos gleich ist.
- was auf den beiden Fotos unterschiedlich ist.

Befindet sich auf deinem Bild auch ein ...?
Hast du auch ein ...?
Gibt es bei dir ein ...?

zu Seite 43, 4

3 Lesestrategie: Bedeutung erschließen → LERNTECHNIK

Lesen Sie den Text im Kursbuch Seite 42 ab Zeile 32.
Erklären Sie die folgenden Wörter entweder aus bekannten Wörtern oder aus dem Kontext.

Zeile	unbekanntes Wort	ableiten aus bekannten Wörtern	verstehen aus einem anderen Teil des Textes
Z. 37	preisgeben sich erfrischen das Herzstück das Kernstück überquellend von Leben in den Himmel schießen beklemmend mit ganz besonderer Note		

zu Seite 43, 4

4 Idiomatik → WORTSCHATZ

Was schreiben Sie für Ihre Vokabelkartei als Bedeutung neben diese idiomatischen Ausdrücke?

a ein Gespür bekommen für (Seite 42, Zeile 17/18) = Gespür – spüren = fühlen; ein Gefühl bekommen für

b sich abschrecken lassen von (Seite 42, Zeile 27/28)

c in den Himmel schießen (Seite 42, Zeile 63)

d eine ganz besondere Note (Seite 42, Zeile 71/72)

e in die Hände spucken (Seite 50, Zeile 13)

zu Seite 43, 4

5 Präpositionen → GRAMMATIK

Ergänzen Sie den Text.

außerhalb + Gen., ~~dank~~ + Gen., entlang + Akk., gegenüber + Dat., innerhalb + Gen., von ... aus + Dat.

(1) Dank dein__ Hilfe konnte ich die U-Bahn-Haltestelle schnell finden. (2) Man muss ______ dein__ Wohnung _____ nur immer den Fluss _________gehen, bis man zur Ludwigsbrücke kommt. (3) Direkt _________ d__ Sankt-Anna-Kirche ist dann die U-Bahn-Station. (4) __________ d__ Stadt, vor allem im Zentrum, kenne ich mich jetzt schon recht gut aus, da ich viel zu Fuß gehe oder mit öffentlichen Verkehrsmitteln fahre. (5) Nur wenn ich mich am Wochenende ____________ d__ U-Bahn-Bereichs aufhalte, verfahre ich mich noch manchmal.

zu Seite 44, 9

6 Der Satz in der deutschen Sprache → LESEN

Lesen Sie, was der amerikanische Schriftsteller Mark Twain (1835–1910) über den Satz in der deutschen Sprache geschrieben hat, und kreuzen Sie an, was nach Meinung des Autors für einen deutschen Satz charakteristisch ist.

Der Durchschnittssatz in einer deutschen Zeitung ist eine erhebende, höchst eindrucksvolle Sehenswürdigkeit. Er nimmt so ziemlich eine viertel Spalte ein und enthält so zehn Satzteile, allerdings nicht in regelmäßiger Folge, sondern durcheinandergemischt. Der ganze Satz hat vierzehn oder fünfzehn verschiedene Subjekte, von denen jedes in einem besonderen Nebensatz steht, von dem wieder ein Nebensatz abhängt, auf den sich weitere drei oder vier abhängige Nebensätze beziehen. (...) Dann erst kommt das leitende Verb, aus dem sich ergibt, worüber der Schreiber dieser Zeilen eigentlich hat reden wollen.

- ☐ Er besteht aus vielen Teilen.
- ☐ Das Verb wird häufig erst ganz am Ende genannt.
- ☐ Er ist sehr lang.
- ☐ Er ist übersichtlich.
- ☐ Er ist verschachtelt, d.h. er hat eine komplizierte Struktur.

zu Seite 44, 9

7 Wortstellung im Hauptsatz → GRAMMATIK

Tragen Sie die Sätze in den Kasten unten ein.

- a Unsere Gruppe hat letzte Woche eine Städtereise nach Berlin unternommen.
- b Wir haben am ersten Tag zu Fuß einen Stadtrundgang gemacht.
- c Beate hat dabei in einer kleinen Seitenstraße ein schönes Café entdeckt.
- d Wegen des schlechten Wetters mussten wir die letzten Urlaubstage in Museen verbringen.
- e Einige von uns waren bei einer Familie privat untergebracht.
- f Die anderen wohnten in einem Jugendhotel.

Position 1	Position 2	Position 3, 4 ...	Endposition
Unsere Gruppe	hat	letzte Woche eine Städtereise nach Berlin	unternommen.

3

zu Seite 44, 9

8 Freie Angaben im Hauptsatz → GRAMMATIK

Setzen Sie die Angaben in den Satz ein.

Beispiel: Das Lokal ist geschlossen. *(heute, wegen Renovierungsarbeiten)*
Das Lokal ist heute wegen Renovierungsarbeiten geschlossen.
oder: *Wegen Renovierungsarbeiten ist das Lokal heute geschlossen.*

- a Christoph verließ das Museum. *(genervt, nach dreistündigem Schlangestehen)*
- b Wir sind im Hotel geblieben. *(noch etwas, nach dem Frühstück, gerne)*
- c Der Rasen ist nass. *(ziemlich, durch die starken Regenfälle)*
- d Die Friedrichstraße war gesperrt. *(wegen Bauarbeiten, am Montag, teilweise)*
- e Inge wartet auf ihre Freundin. *(ungeduldig, schon seit einer Stunde, vor dem Brandenburger Tor)*
- f Ich trinke ein Glas Berliner Weiße. *(vor dem Nachhausegehen, noch schnell, in einer Eckkneipe)*
- g Ich hätte drei Pullover angezogen. *(bei der Kälte, am liebsten, heute Morgen)*

zu Seite 44, 9

9 Fehleranalyse: Wortstellung → GRAMMATIK

Warum sind die folgenden Sätze falsch?
Beispiel:
Falsch: *Um halb acht er steht normalerweise auf.*
Richtig: *Um halb acht steht er normalerweise auf.*
Korrektur: Verb an Position 2

- a Sind Sie in Berlin schon mal gewesen?
- b Uns am Sonntag lass ins Museum gehen!
- c Er hat an sie geschrieben letzte Woche einen Brief.
- d Sie fährt zur Arbeit meistens um acht Uhr mit dem Bus.
- e Dieses das langweiligste Buch ist, das ich jemals gelesen habe.
- f Er ging ins Ausland freiwillig vor fünf Jahren.
- g Etwas sparsamer sei, wenn du dir kaufst etwas zum Anziehen!

zu Seite 44, 9

10 Fehlerkorrektur: Wortstellung → GRAMMATIK

Die folgenden Sätze enthalten Fehler. Unterstreichen Sie die fehlerhaften Stellen und verbessern Sie die Wortstellung.

Beispiel: Wegen eines Maschinenschadens die U-Bahn kam heute Morgen verspätet an.
Wegen eines Maschinenschadens kam die U-Bahn heute Morgen verspätet an.
oder: *Die U-Bahn kam heute Morgen wegen eines Maschinenschadens verspätet an.*

- a Er hat an seinen Freund eine Karte gestern geschrieben.
- b Im Hotel gab es schrecklich viel Lärm gestern Abend wegen der Ankunft einer neuen Reisegruppe.
- c Peter fuhr mit seinem Fahrrad durch die neuen Bundesländer ganz allein.
- d Während unseres Berlinbesuchs waren wir im Theater auch.
- e Betty schenkte ihrer Gastfamilie ein Andenken aus ihrer Heimat zum Abschied.
- f Sie versprach der Familie, bald sie wieder zu besuchen.

zu Seite 44, 9

11 Sätze erweitern → LESEN

Markieren Sie, an welcher Stelle im Satz die Teile in der rechten Spalte passen. Manchmal gibt es mehrere Lösungen.

Eine Amerikanerin in Berlin

a	„Becky Bernstein goes Berlin" ist der Titel eines intelligenten Romans über eine amerikanische Künstlerin mit Wohnsitz in Berlin.	a	von Holly-Jane Rahlens
b	Die Autorin hat Literaturwissenschaft in New York studiert und kam wie ihre Romanfigur 1972 nach Berlin.	b	der Liebe wegen
c	Sie ist Moderatorin beim Hörfunk.	c	heute
d	Sie war 24.	d	damals
e	Die Liebe dauerte allerdings nicht sehr lange.	e	zu dem Berliner Studenten
f	Die Liebe zu Berlin hält an.	f	dagegen
g	Sie hat zu erzählen.	g	einiges
h	Becky Bernstein hat als Kind in Brooklyn East, gewohnt.	h	einer schäbigen New Yorker Gegend,
i	„Berlin ist ein kleines New York", sagt Becky einmal.	i	die Romanfigur
j	„Es hat die Spannung einer Millionenstadt.	j	und das Tempo
k	Aber es hat den provinziellen Charme der Alten Welt."	k	auch
l	Becky ist auf der Suche nach dem passenden Mann.	l	der richtigen Diät und
m	Beides, teilt die Heldin mit vielen Frauen in Deutschland und in den USA.	m	das Übergewicht und die unglückliche Beziehung zu Männern,
n	Das Buch präsentiert die Stadt als weitere Hauptfigur.	n	Berlin
o	Holly-Jane Rahlens erzählt vom geteilten Berlin und vom Mauerfall.	o	temperamentvoll
p	Ein amüsanter Roman.	p	wirklich

3

zu Seite 44, 9

12 In welchem Gebiet oder Stadtteil ist was zu finden? → WORTSCHATZ

Ordnen Sie die Wörter zu.

der Bahnhof · die Bank · die Bibliothek · die Bar · das Bürogebäude · der Busbahnhof · das Café · das Denkmal · das Einfamilienhaus · das Einkaufszentrum · das Elektrizitätswerk · die Fabrik · das Hochhaus · das Kaufhaus · der Kindergarten · das Kino · die Kirche · die Konzerthalle · die Kunstgalerie · der Markt · das Mehrfamilienhaus · die Moschee · das Museum · der Nachtklub · das Opernhaus · das Parkhaus · der Park · der Platz · die Polizeistation · das Postamt · das Rathaus · Reihenhäuser · das Restaurant · das Schwimmbad · das Schuhgeschäft · die Schule · der Spielplatz · das Sportstadion · der Supermarkt · das Theater · die Universität · der Wohnblock

in den Vororten und Wohngebieten
das Einfamilienhaus

im Industriegebiet
die Fabrik

im Zentrum
der Bahnhof

im historischen Stadtkern
das Denkmal

im Vergnügungsviertel
die Bar

zu Seite 45, 4

13 Wiener Kaffeehäuser → GRAMMATIK

Stellen Sie im folgenden Text die richtige Reihenfolge der Sätze wieder her. Nummerieren Sie dazu die Sätze.

- Das Wiener Kaffeehaus gehört zu Wien wie der Stephansdom. [1]
- Er soll – so wird erzählt – 1683 den Kaffee als Kriegsbeute aus der Türkei mit nach Wien gebracht haben. [ ]
- Sein Erfinder war aber kein echter Wiener, sondern ein Pole namens Franz Georg Kolschitzky. [ ]
- Schnell wurde der Kaffee als neues Getränk populär. Zeitungen und Spiele, vor allem Billard, gehörten zur Grundausstattung jedes guten Kaffeehauses. [ ]
- Für jeden Wiener gehörte es sich damals, ein Stammcafé zu haben, wo er Freunde traf, plauderte, spielte, studierte, dichtete, beobachtete, Stunden verbrachte oder auch den ganzen Tag. [ ]
- Erst als die sogenannten Konzertcafés entstanden, durften auch Damen hinein. Das Kaffeehaus wurde zu einem Stück Wiener Kultur, wo sich Literaten, Künstler, Gelehrte, Politiker und Journalisten trafen. [ ]
- Bis 1840 traf sich im Kaffeehaus eine reine Männergesellschaft. [ ]
- Doch gerade heute erlebt das Wiener Kaffeehaus eine neue Glanzzeit als Treffpunkt und Kommunikationszentrum. [ ]
- Die große Zeit der Kaffeehäuser ging dann allerdings mit der österreichischen Monarchie nach dem Ersten Weltkrieg zu Ende. [ ]

zu Seite 45, 4

14 In Deutschland gibt es Cafés, in Österreich Kaffeehäuser. Und in Ihrer Heimat? → SCHREIBEN

Schreiben Sie einen Text von circa 200 Wörtern. Verwenden Sie dazu die Leitfragen aus Aufgabe 4a im Kursbuch Seite 45.

zu Seite 48, 5

15 Schlüsselwörter → LESEN/HÖREN

a Lesen Sie die Transkription des Hörtextes aus dem Kursbuch Seite 48. Unterstreichen Sie die Schlüsselwörter. Das sollten nicht nur Nomen sein, sondern auch wichtige Strukturwörter wie *nicht, kaum* usw.

b Fassen Sie danach in jeweils drei Sätzen zusammen, was der Mann über Wien und München sagt.

Wien

Für mich ist typisch an Wien, dass dort zu viel Tradition zusammengetragen wurde. Es besteht kaum Platz für Neues. Wenn Sie zum Beispiel die Menschen sich anschauen, die in diesen sicherlich sehr prächtigen Häusern leben, das ist doch, wie wenn die in einem Museum leben. Und es ist tatsächlich so, dass in der Wiener Innenstadt keine neuen Häuser errichtet werden dürfen. Alles ist auf Bewahrung, alles ist auf Tradition ausgerichtet, und dabei wird sehr häufig übersehen, dass es doch ganz neue Herausforderungen gibt. Zum Beispiel ist es nicht möglich, in historischen Gärten den Rasen zu betreten. Und das ist vielleicht einer der großen Nachteile, diese sehr, sehr traditionelle Geisteshaltung. Andererseits – die Lage von Wien ist natürlich hervorragend. Die Stadt liegt an der Bruchstelle zwischen den Bergen und der ungarischen Tiefebene.

München

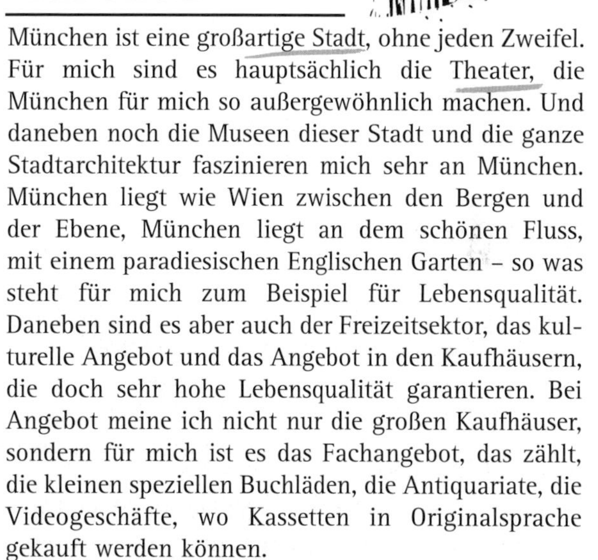

München ist eine großartige Stadt, ohne jeden Zweifel. Für mich sind es hauptsächlich die Theater, die München für mich so außergewöhnlich machen. Und daneben noch die Museen dieser Stadt und die ganze Stadtarchitektur faszinieren mich sehr an München. München liegt wie Wien zwischen den Bergen und der Ebene, München liegt an dem schönen Fluss, mit einem paradiesischen Englischen Garten – so was steht für mich zum Beispiel für Lebensqualität. Daneben sind es aber auch der Freizeitsektor, das kulturelle Angebot und das Angebot in den Kaufhäusern, die doch sehr hohe Lebensqualität garantieren. Bei Angebot meine ich nicht nur die großen Kaufhäuser, sondern für mich ist es das Fachangebot, das zählt, die kleinen speziellen Buchläden, die Antiquariate, die Videogeschäfte, wo Kassetten in Originalsprache gekauft werden können.

zu Seite 49, 3

16 Persönlicher Brief – Textsortenmerkmale → SCHREIBEN

Was passt in einem persönlichen, d.h. nicht offiziellen Brief?

Datum
- ☐ 17/03/20..
- ☐ Frankfurt, 17. 03. 20..
- ☐ im März 20..

Anrede
- ☐ Lieber Sven,
- ☐ Verehrte Dame,
- ☐ Sehr geehrte Damen und Herren,

Anredeform
- ☐ Du
- ☐ Ihr
- ☐ Sie

Gruß
- ☐ Beste Grüße
- ☐ Hochachtungsvoll
- ☐ Mit freundlichen Grüßen

zu Seite 49, 3

17 Korrektur – Persönlicher Brief → SCHREIBEN

Verbessern Sie die unterstrichenen Stellen.

München, den 24. Juli 20..

Liebe Angelika,

vielen Dank für Deinen Brief und freue ich mich darüber.

Wie geht es Dir? Mir geht es zurzeit sehr gut. Endlich wird das Wetter hier etwas schöner. Du hast mich gefragt, was mache ich den ganzen Tag. Nun, an den Wochentagen ich gehe ins Institut. Der Unterricht gefällt mir sehr gut. Nachdem Unterricht gehe ich in die Mediothek meistens noch. Manchmal mache ich noch einen Einkaufsbummel oder gleich nach Hause gehen.

Und am Wochenende oft ich verreise. Zum Beispiel ich bin schon nach Rothenburg, Füssen, an den Chiemsee und nach Prag gefahren. Besonders mir hat gefallen der Chiemsee. Übermorgen fahre ich mit meinem Kurs in die Schweiz. Hier in München bin ich ins Deutsche Museum besucht. Ich war ungefähr vier Stunden im Deutschen Museum, aber habe ich nicht alles gesehen. Vielleicht gehe ich noch mal. Leider, meine Wohnung ist ein bisschen weit vom Institut. Stell Dir vor, der Weg in die Schule dauert 40 Minuten! Deshalb ich muss ziemlich früh aufstehen. Das ist leicht für mich nicht. Ich habe viele Fotos gemacht. Wenn ich zurückkomme, zeige ich sie Dir.

Ich hoffe, dass Du mir bald schreibst wieder. Bis dahin. Alles Liebe

Deine Ji

über den ich mich gefreut habe.

3

zu Seite 49, 3

18 Spiel: Satzpuzzle → GRAMMATIK/SPRECHEN

Bei schlechtem Wetter	besuche	ich	eines	der	zahlreichen	Museen,	die	es	in dieser Stadt	gibt.

Die Klasse teilt sich in zwei Gruppen. Jede Gruppe denkt sich einen Satz von mehr als zehn Wörtern Länge aus. Die Sätze sollten auch Wörter und Ausdrücke wie *zufällig, manchmal, bei schlechtem Wetter* usw. enthalten. Ein Mitglied der Gruppe schreibt die Sätze so auf, dass jeweils ein Wort bzw. ein zusammenhängender Ausdruck auf einem separaten Kärtchen steht. Die Gruppen tauschen ihre Kärtchen aus und setzen sie zu Sätzen zusammen. Es gibt oft mehr als eine richtige Lösung. Gewonnen hat die Gruppe, die zuerst fertig ist.

zu Seite 50, 3

19 Vermutungen über Tucholskys Berlin → GRAMMATIK

Lesen Sie den Text im Kursbuch Seite 50 und ergänzen Sie die folgenden Nebensätze. Achten Sie auf die richtige Wortstellung.

Beispiel: Über dieser Stadt ist kein Himmel.
Es scheint, als ob über dieser Stadt kein Himmel wäre.
Vielleicht sieht man den Himmel kaum, weil die Häuser so hoch sind.

a) Der Berliner hat keine Zeit.
Es scheint, als ob/hätte ...
Vielleicht haben die Berliner keine Zeit, weil ...

b In dieser Stadt wird geschuftet.
Es scheint, als ob/würde ...
Vielleicht wird in Berlin so viel gearbeitet, dass ...

c Der Berliner kann sich nicht unterhalten.
Es scheint, als ob/könnte ...
Vielleicht können sich die Berliner nicht unterhalten, weil ...

d Die Berliner sind einander fremd.
Es scheint, als ob/wären ...
Vielleicht sind die Berliner einander fremd, weil ...

zu Seite 50, 3

20 Das Versprechen → **LESEN**

Setzen Sie die passenden Präpositionen ein.

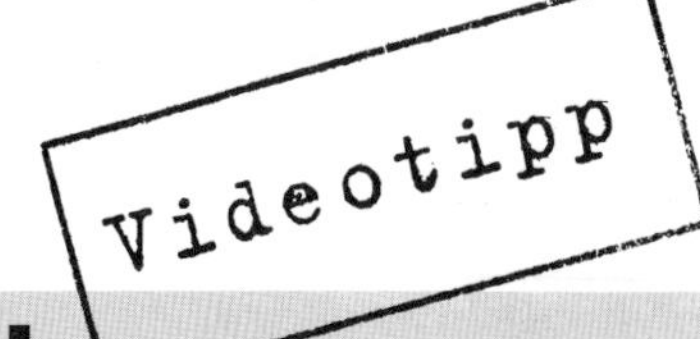

DAS VERSPRECHEN

EIN FILM VON MARGARETHE VON TROTTA (1994) – 110 MINUTEN

Inhalt: Eine Liebesgeschichte ...unter... Extrembedingungen: Eine Gruppe Jugendlicher flieht im Herbst 1961, wenige Wochen .... dem Bau der Mauer, durch die Kanalisation von Ost- nach Westberlin. .... Zufall werden Sophie und Konrad getrennt. Sophie erreicht den Westen, während Konrad im Ostteil der Stadt zurückbleibt. Konrad macht .... Wissenschaftler Karriere in der DDR. Als er im Sommer 1968 eine Fachtagung in Prag besucht, kann er endlich seine geflohene Freundin Sophie wiedersehen. Die nächsten 28 Jahre führen beide ein Leben .... radikal unterschiedlichen Lebensbedingungen. Sie sehen sich nur viermal. Der Film erzählt .... der Entfremdung der beiden, aber auch, wie beide dagegen ankämpfen. Als die Mauer schließlich fällt, könnte die Liebesgeschichte endlich beginnen. Wird sich aber ihre Liebe .... der jahrelangen Trennung durchsetzen?

Kommentar: Zeitgeschichte, die durch persönliche Schicksale veranschaulicht wird. Das geht nahe, auch wenn Margarethe von Trotta .... Klischees nicht zurückschreckt.

Regisseurin:
Margarethe von Trotta gehört .... den 70er-Jahren zu den bedeutendsten deutschen Regisseurinnen.

als
durch
in
nach
seit
trotz
unter
unter
von
vor
vor

zu Seite 50, 3

21 Satzbau variieren → GRAMMATIK

Bilden Sie Sätze.

drehte – Wim Wenders – über Berlin – einen Spielfilm – vor einigen Jahren – der deutsche Regisseur

Der deutsche Regisseur Wim Wenders drehte vor einigen Jahren einen Spielfilm über Berlin.

a Weißt du, dass ...?
b Vor einigen Jahren ...
c Worüber drehte ...?
d Weißt du, wer ...?

erhielt – in Cannes – der Film – die Goldene Palme – für die beste Regie

Der Film erhielt in Cannes die Goldene Palme für die beste Regie.

a In Cannes ...
b Weißt du, wofür ...?
c Wussten Sie, dass ...?
d Wofür ...?

zu Seite 50, 3

22 Textpuzzle → LESEN

Bringen Sie die Textabschnitte in eine sinnvolle Reihenfolge.

Klappentext: Lexikon des deutschen Films

Am 1. November 1895 führten die Brüder Max und Emil Skladanowsky im Berliner Varieté „Wintergarten“ erstmals ihre „lebenden Bilder“ vor. [1]

Sie alle belegen die hohe Qualität des Films in Deutschland, Österreich und der deutschsprachigen Schweiz. [ ]

Dieses Datum gilt als die Geburtsstunde des deutschen Films. Hundert Jahre sind seitdem vergangen. [ ]

Dabei werden alle Epochen und alle Filmgattungen gleichmäßig berücksichtigt. Neben den berühmten Klassikern findet man zu Unrecht vergessene Streifen. [ ]

Das Jubiläum bietet Anlass zum Rückblick auf die wechselvolle Geschichte dieses für die Kultur des 20. Jahrhunderts höchst einflussreichen Mediums. Dieses aktuell erarbeitete, reich bebilderte Lexikon bespricht über 600 Kinofilme. [ ]

zu Seite 51, 1

23 Gebäude beschreiben → WORTSCHATZ

Ordnen Sie diese Adjektive in die richtige Kategorie ein.
Manche passen mehrmals.

altdeutsch – barock – breit – ~~groß~~ – historisch – imposant – klar – klassisch – länglich – ~~modern~~ – oval – rechteckig – riesig – ~~rund~~ – schmal – undefinierbar – unregelmäßig – verspielt – viereckig – winzig

Form	Stil	Größe
rund	*modern*	*groß*

LEKTION 3 – *Aussprachetraining*

Satzakzent

1
LERNER-CD 9

Hören Sie folgendes Gedicht, ohne es zu lesen.

Timm Ulrichs

denk-spiel
ich denke, also bin ich.
ich bin, also denke ich.
ich bin also, denke ich.
ich denke also: bin ich?

a Hören Sie das Gedicht noch einmal und lesen Sie mit. Markieren Sie, welche Wörter besonders betont werden.
b Welche Aufgabe hat die Betonung in diesem Gedicht?
c Markieren Sie die Betonung der Sätze. *Ich denke, also bin ich.*

2
LERNER-CD 10

Der wandernde Satzakzent

a Hören Sie vier Sätze.
b Lesen Sie die Sätze unten. Welche Teile passen zusammen?
c Lesen Sie die Sätze laut. Betonen Sie jeweils das unterstrichene Wort.

Betonung	sinnvolle Ergänzung
Er geht mit ihr,	damit sie keine Angst allein im Dunkeln hat.
Er geht mit ihr,	weil ich selber keine Zeit habe.
Er geht mit ihr,	und er ist seitdem ganz glücklich.
Er geht mit ihr,	du kannst dafür mit Heinrich gehen.

3
LERNER-CD 11

Fragen und Antworten

a Hören Sie einige Fragen, ohne den Text zu lesen.
b Lesen Sie nun die Fragen unten. Welche Antwort passt zu welcher Frage?
c Lesen Sie die Fragen und Antworten zusammen vor. Betonen Sie deutlich.

Frage	Antwort
1 *Wie heißen Sie?*	a *Doch. Wieso?*
2 *Sind Sie Herr Obermaier?*	b *Eher witzige.*
3 *Wer heißt denn hier Müller?*	c *Ein Buch.*
4 *Sie wohnen doch in der Schlossstraße, oder?*	d *Einen guten Krimi.*
5 *Sie heißen doch nicht Lüdenscheidt, oder?*	e *Ich heiße Schmidt.*
6 *Was willst du denn hier?*	f *Ich heiße so.*
7 *Was für ein Buch möchtest du denn?*	g *Na, den spannenden natürlich.*
8 *Was für Filme magst du, eher spannende oder eher witzige?*	h *Nein, in der Schlossallee.*
9 *Willst du lieber den spannenden oder den witzigen Film sehen?*	i *Nein, mein Name ist Obermeister.*

4
LERNER-CD 12

Sätze von hinten lesen

a Hören Sie den Satz und unterstreichen Sie die Wörter oder Silben, die betont werden.
Erwin möchte wissen, ob du bei der Stadtrundfahrt mitmachst.

b Lesen Sie diese Teilsätze. Markieren Sie, wo jeweils der Akzent liegt.
- kommen.
- zu kommen.
- nach Berlin zu kommen.
- versprochen, mit nach Berlin zu kommen.
- Du hast versprochen, mit nach Berlin zu kommen.

3

Lernkontrolle: Was haben Sie in dieser Lektion gelernt?

Kreuzen Sie an.

Ich kann ...

Lesen

- ☐ ... in einem Reiseführer über Berlin Empfehlungen sowie eine Tourbeschreibung verstehen.
- ☐ ... aus kurzen Informationstexten zu empfehlenswerten Lokalen in Berlin diejenigen heraussuchen, die für bestimmte Personen geeignet sind.
- ☐ ... implizite Werturteile aus einer literarischen Glosse über das Leben im Berlin der 20er-Jahre herausfiltern.
- ☐ ... in einem Reiseführer über Wien Hintergrundinformationen über das Hundertwasser-Haus verstehen.

Hören

- ☐ ... ein längeres Gespräch mit einem Österreicher verstehen.
- ☐ ... aus diesem Gespräch zu den Vor- und Nachteilen der Städte Wien und München Hauptaussagen entnehmen.

Schreiben - Produktion

- ☐ ... einen informativen Text über die Hauptstadt meines Heimatlandes verfassen.

Schreiben - Interaktion

- ☐ ... in einem informellen Brief über den Ort berichten, an dem ich mich gerade aufhalte.

Sprechen - Produktion

- ☐ ... den Reichstag in Berlin als Gebäude detailliert beschreiben und auf Nachfragen Einzelheiten genauer erklären.
- ☐ ... das Hundertwasser-Haus in Wien mit seinen architektonischen Besonderheiten detailliert beschreiben.

Sprechen - Interaktion

- ☐ ... in einem Kontaktgespräch bzw. im Smalltalk über meinen Kursort sprechen und dabei auf Einkaufsmöglichkeiten und andere Aspekte eingehen.
- ☐ ... Vorteile darstellen, etwas ablehnen, positive Aspekte anführen.

Wortschatz

- ☐ ... präzise Ausdrücke zur Beschreibung einer Stadt, ihrer Stadtteile und Gebäude einsetzen, wie sie zum Beispiel bei einer Stadtführung gebraucht werden.
- ☐ ... allgemein verständliche Wörter zur Beschreibung der Architektur eines Gebäudes verwenden.

Grammatik

- ☐ ... Sätze in ihrer Struktur variieren, um damit einen stilistisch abwechslungsreichen Text zu erstellen.
- ☐ ... mithilfe von Satzverbindungen verschiedener Art stilistisch anspruchsvollere Texte schreiben.

Sprechen Sie mit Ihrem Kursleiter/Ihrer Kursleiterin über Tipps zum Weiterlernen.

Verben

ausflippen
bilanzieren
etwas ablehnen
etwas bewirken
etwas schaffen
jdn. pflegen
jobben
plaudern
protokollieren
schlendern
sich stapeln
tauschen
verdrängen
vorhanden sein

Nomen

das Angebot, -e
der Artikel, -
der Auftrag, ¨-e
der Aufwand
die Ausgabe, -n
der Betrug
die Betrugsanzeige, -n
die Boutique, -n
der Discounter, -
der Einkäufer, -
die Einkaufspassage, -n
das Einkaufszentrum, -zentren
die Erregung
die Filiale, -n
der Flohmarkt, ¨-e
die Gegenleistung, -en
der Gewinn, -e
der Handel
der Hersteller, -
die Kassiererin, -nen
die Katastrophe, -n
das Kaufhaus, ¨-er
die Klamotten (Pl.)
das Kopfschütteln
der Kunde, -n
das Lager, -
der Lebensunterhalt
der Lieferant, -en
das Markenprodukt, -e
der Muffel, -
das Online-Shopping
der Prozess, -e
der Rabatt, -e
die Rendite, -n
der Schlussverkauf, ¨-e
das Schnäppchen, -
die Schulden (Pl.)
das Schwarzfahren
der Trick, -s
der Umsatz, ¨-e
das Unternehmen, -
der Verbraucherschützer, -
die Verfasserin, -nen
das Versandhaus, ¨-er
die Versorgung
der Warenumschlag
die Werbeagentur, -en
die Werbekampagne, -n
der Wochenmarkt, ¨-e

Adjektive/Adverbien

aufschlussreich
bescheiden
geschätzt
obdachlos
quasi
schätzungsweise
süchtig
todkrank
überdurchschnittlich
überflüssig
überfordert
wiederkehrend

Ausdrücke

alles in Maßen tun
Angst auslösen
auf dem ... Platz rangieren
das Haus hüten
den Überblick verlieren
der Besserverdienende
der Dreh- und Angelpunkt
Einblick haben in etwas
einen Blick hinter die Kulissen werfen
einen Blick zuwerfen
ein Geschäft betreiben
ein Horror sein
es jemandem nachtun
Hunger leiden (müssen)
komisch angeguckt werden
Otto Normalverbraucher
Rabatt gewähren
Schritt für Schritt
sich angezogen fühlen von
sich die Frage stellen
vor Gericht stehen
zum guten Ton gehören

4

1 **Präteritum → GRAMMATIK**

Notieren Sie für die Verben des Lernwortschatzes die Präteritumform.

Verb	Präteritum
ausflippen	*ich flippte aus*
bilanzieren	*er*
ablehnen	*sie*

zu Seite 55

2 Werbespots → HÖR-, SEHVERSTEHEN/SPRECHEN

Schritt 1:
- Sehen Sie sich nur die Bilder zu einem deutschsprachigen Werbefilm an – **ohne** Ton!
- Notieren Sie möglichst viele Dinge, die Sie sehen, und vergleichen Sie im Kurs.

Schritt 2:
- Sehen Sie sich den Spot noch einmal komplett – **mit** Ton – an.
- Was haben Sie jetzt alles erfahren? Wofür wird Werbung gemacht?
- Worum geht es in dem Werbespruch, dem sogenannten Slogan?

Schritt 3:
- Hören Sie von einem anderen Spot nur den Text. Decken Sie das Bild dazu ab.
- Wer spricht?
- Erfinden Sie einige Bilder, die zu dieser Stimme und dem Text passen.

Schritt 4:
- Sehen Sie nun den Spot – **mit** Bild.
- Vergleichen Sie die Bilder mit Ihren Ideen. Was ist anders? Wofür wird hier geworben?

Schritt 5:
- Lesen Sie die folgenden Texte zu zwei Werbespots.
- Worum geht es hier wohl? Welchen Spot würden Sie sich gerne anschauen?

Videotipp

1

Wer anderen zu einem Platz an der Sonne verhilft, kann jetzt bis zu zwei Millionen Euro gewinnen. Denn zum Glück gibt es die ARD-Fernsehlotterie. Mit fünf Euro sind Sie dabei. Lose bei allen Banken, Sparkassen, der Post oder unter 08000 411 411 und www.ard-fernsehlotterie.de.

2

Manchmal lebe ich am Rand der Galaxis und das Leben ist anderswo. Manchmal kommen Freunde auf meinen Planeten zu Besuch. Manchmal geht mir alles viel zu schnell.
Manchmal kann ich kaum erwarten, dass was passiert.
Wem soll ich glauben?
Wofür soll ich kämpfen?
Wann werde ich erwachsen?
Und wenn ich es bin, will ich es dann noch sein?

zu Seite 55

3 Inhaltsangabe → WORTSCHATZ

Ergänzen Sie die fehlenden Verben in diesem Text im Präsens.

bedanken – bedanken – fahren – gehen – halten – nehmen – öffnen – sitzen – steigen – legen – trainieren – ~~verlassen~~

Ein Blinder verlässt sein kleines Haus. Er hat einen Metallkoffer dabei. Er .... ein Auto an. Ein roter Kleinbus, voll besetzt mit Handwerkern, ... ihn mit. Dann .... er bei einem Schwarzen mit. Schließlich .... er hinter einem Motorradfahrer auf einer schweren Maschine. Bei einem kleinen Zirkus .... der Blinde ab und .... sich fürs Mitnehmen.
Er .... an einigen Zirkusartisten vorbei, die im Freien ihre Kunststücke ....: Ein Feuerspucker, ein Clown, ein Kartenspieler, ein Akrobat mit einem Reifen, eine Frau mit einer großen Schlange, ein Liliputaner in Cowboykleidung sind zu sehen. Der Blinde .... seinen Koffer auf einen Tisch. Als er den Koffer ...., ist der voll mit Euroscheinen. Herzlich .... sich der Clown bei dem blinden Glücksbringer.

LEKTION 4

zu Seite 56, 4

4 Welches Nomen ist falsch? → WORTSCHATZ

- a) der Supermarkt – der Flohmarkt – der Verkaufsmarkt – der Wochenmarkt
- b) das Einkaufshaus – das Kaufhaus – das Warenhaus – das Versandhaus
- c) die Einkaufstüte – die Einkaufspassage – das Einkaufszentrum – der Einkaufshandel
- d) Online-Shopping – Tele-Shopping – Versand-Shopping – electronic shopping
- e) das Versandhaus – der Versandhandel – der Versandmarkt – der Versandhauskatalog

zu Seite 56, 5

5 Einkaufsmöglichkeiten → WORTSCHATZ

Was kann man hier kaufen?

Geschäfte	Waren
das Antiquariat	alte Bücher
die Apotheke	
die Boutique	
die Buchhandlung	
die Drogerie	
der Feinkostladen	
der Juwelier	
das Kaufhaus	
der Kiosk	
das Reformhaus	
das Schreibwarengeschäft	
das Zoogeschäft	

zu Seite 58, 4

6 Strategien beim Lesen → LERNTECHNIK

Welche dieser Strategien haben Sie beim Lesen des Textes auf S. 57/58 des Kursbuchs verwendet?

- ☐ Aufgrund des Layouts gehe ich davon aus, dass es sich um einen Text aus ... handelt.
- ☐ Ich habe den ersten Abschnitt des Textes gelesen, um das Thema festzustellen. Es geht um ...
- ☐ Folgende Wörter, in denen wichtige Informationen enthalten sind, habe ich markiert: ...
- ☐ Außerdem habe ich folgende Zahlen und andere Sachinformationen markiert: ...
- ☐ Ich kannte folgende Internationalismen: ...
- ☐ Unbekannte Wörter habe ich überlesen, wie zum Beispiel ...
- ☐ Aus dem Kontext erschlossen habe ich die Bedeutung von ...
- ☐ Folgende Wörter habe ich im Lexikon nachgeschlagen: ...

LEKTION 4

zu Seite 58, 4

7 Nomen zum Thema „Wirtschaft, Handel" → **WORTSCHATZ**

Sehen Sie sich den Text im Kursbuch, Seite 57/58, und den Lernwortschatz auf Seite 51 im Arbeitsbuch an. Schreiben Sie je vier weitere Nomen in das Raster.

Personen	Orte	Leistungen (andere)
der Chefeinkäufer	der Lebensmittelladen	der Rabatt

zu Seite 58, 7

8 Das Erfolgsrezept von Aldi → **GRAMMATIK**

Formulieren Sie Sätze.

Bei Aldi gibt es keine aufwendigen Regale wie bei normalen Supermärkten.

	Kennzeichen	Aldi	Normaler Supermarkt
a	aufwendige Regale	nein	ja
b	mehr als 600 Artikel	nein	ja
c	Waren aus den Kartons ausgepackt	nein	ja
d	Geschenke für Geschäftspartner	nein	ja
e	Markenprodukte	nein	ja
f	lange Wartezeiten an den Kassen	nein	ja

zu Seite 58, 7

9 Negation → **GRAMMATIK**

Formulieren Sie die Sätze so um, dass die Aussage negativ wird.

kaum – kein – keine ... mehr – niemals – nicht – nichts

Reisebericht

a Hamburg gefällt mir als Stadt *sehr gut*. ......nicht sehr gut......
b Es bietet für Besucher *einiges* Interessantes. ....
c Mein Freund hatte mir *viel* Gutes darüber erzählt. ....
d Für viele war die Stadtführung *ein Vergnügen*. ....
e Der Führer hat unsere Fragen *sehr ausführlich* beantwortet. ....
f Wir haben heute *noch etwas* Zeit für einen Museumsbesuch. ....
g Hoffentlich ist das Museum *so gut* besucht wie das, in dem wir gestern waren. ....
h Ich war in Hamburg *einmal* im Kino. ....
i Das Hamburger Wetter ist *so schlecht* wie sein Ruf. ....
j Den Regenschirm *haben wir eingesteckt*. ....
k Ich unternehme *gerne* solche Städtereisen. ....
l Mir ist während der Reise *ein einziges Mal* langweilig gewesen. ....
m Das gilt wahrscheinlich *auch* für die anderen Reisenden. ....
n Übrigens: *Alle* Kursteilnehmer konnten die Reise mitmachen. ....
o Unser Bus *war groß genug*, um alle 50 zu transportieren. ....
p Ich habe in Hamburg *viel Geld* ausgegeben. ....
q In der Nähe des Hotels gab es *jede Menge* interessante Geschäfte. ....

zu Seite 58, 7

10 Wortbildung: Adjektive → GRAMMATIK/WORTSCHATZ

Welche drei Adjektive aus der Liste unten werden in der Verneinung mit der Nachsilbe *-los* gebildet? Und die anderen?

begabt – berechtigt – diplomatisch – ehrlich – flexibel – gesellig – höflich – humorvoll – klug – kritisch – ordentlich – reif – sensibel – spezifisch – systematisch – übersichtlich – unterbrochen – verantwortungsbewusst – vernünftig – gewaltsam – zivilisiert

zu Seite 59, 3

11 E-Mails → WORTSCHATZ

Ergänzen Sie in diesem Text die fehlenden Wörter.

~~Adresse~~ – Anrede – Betreff – Empfänger – Grußformel – Postadresse – Tippfehler – Umgangssprache – Unterschrift

Checkliste für eine erfolgreiche E-Mail

a Achten Sie darauf, dass Sie die E-Mail-...Adresse... richtig eingeben. Machen Sie dabei auch nur den kleinsten ...., kommt Ihre Nachricht als unzustellbar zurück.
b Schreiben Sie einen .... in das dafür vorgesehene Feld. Das hilft nicht nur dem ...., sondern auch Ihnen, die Nachricht später einmal wiederzufinden.
c Bei der .... sind Standardformulierungen besser als moderne Formen wie zum Beispiel „Hi" oder „Guten Morgen, Frau Perlmann!".
d Wenn Sie an eine Firma oder Ähnliches schreiben, verfassen Sie Ihre Nachricht nicht in .... Viele E-Mails werden wie offizielle Briefe behandelt.
e Vergessen Sie am Ende Ihres Schreibens nicht die ....
f Auch eine .... gehört zu einer vollständigen elektronischen Nachricht, natürlich nicht handschriftlich!
g Sehr hilfreich ist es, wenn Sie der Nachricht auch Ihre .... und Ihre Telefonnummer beifügen.

zu Seite 60, 1

12 Ergebnisse einer Umfrage zusammenfassen → SCHREIBEN

Ergänzen Sie die fehlenden Informationen.

a Eine Umfrage ergab, dass Jugendliche in Deutschland am meisten ...
b Auf Platz zwei der beliebtesten Produkte ...
c Für das Mobil-Telefon ...
d Ziemlich hoch waren auch die Ausgaben für ...
e Für Körper und Haar wurden insgesamt ...
f Weniger beliebt bei deutschen Jugendlichen ...
g Nur 11 Millionen Euro ...

So viel Geld geben Deutschlands Jugendliche pro Monat für diese Produkte aus, in Millionen Euro:

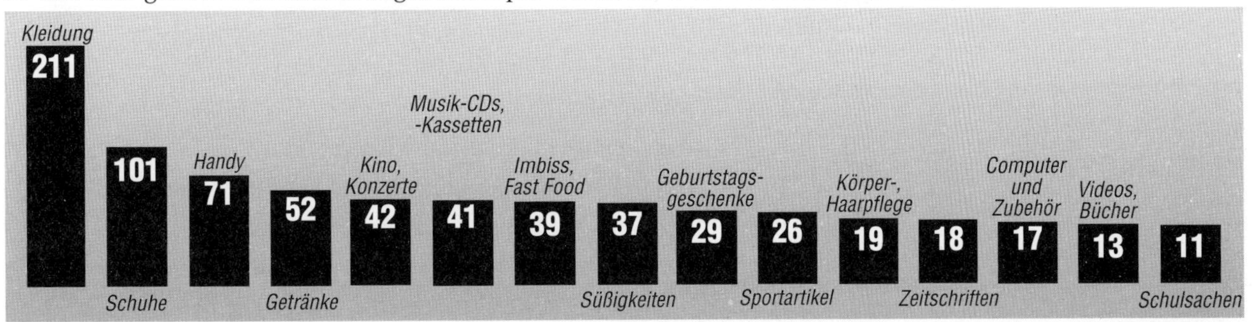

zu Seite 60, 1

13 **Vermutungen → SCHREIBEN**

Schreiben Sie Sätze.

a aussehen würden / bei uns genauso (ganz anders) / dass / die Ergebnisse / ich denke,
Ich denke, dass die Ergebnisse bei uns genauso (ganz anders) aussehen würden.

b bei uns / fürs Kino / geben / aus / die jungen Leute / mehr (weniger) Geld / wahrscheinlich

c eher für ... / junge Menschen in unserer Gegend / verwenden / ihr Taschengeld

d dass ... / ich vermute / sehr beliebt sind.

e bei uns / bestimmt nicht so viel Geld / brauchen Jugendliche / für ... / wie die Deutschen.

zu Seite 61, 5

14 **Falsch zitiert! → HÖREN/GRAMMATIK**

LERNER-CD 13

Was hat Frau Schwermer wirklich gesagt? Hören Sie noch einmal und drücken Sie die unterstrichenen Passagen negativ aus.

a Ich habe (...) den Schlüssel zu der Wohnung einer Frau, die fast immer da ist. Seit drei Jahren pflegt sie ihre todkranke alte Mutter, (...) Als ich davon gehört habe, schlug ich vor, bei der Pflege der Mutter zu helfen und dafür bei ihr schlafen zu dürfen. Sie hat einige Mehrausgaben durch mich – außer dem Bett benutze ich alles.

b Fehlt Ihnen das eigene Bett?

c Dafür habe ich heute so viel mehr, was ich früher hatte:

d Frau S., was haben Sie gegen Geld? Wieso? Ich verteufle Geld ja.

e Vier Jahre lang habe ich einen Pfennig angefasst – seit Neuestem besitze ich wieder ein Portemonnaie. Hin und wieder kaufe ich mir etwas, ich will dogmatisch sein.

f Gerade die Sachen, die man unbedingt braucht, machen doch am meisten Spaß.

g Wenn es jemandem Spaß macht, Kleider zu kaufen, die dringend nötig sind, dann ist das auch richtig für ihn.

zu Seite 61, 5

15 **Aktivitäten beim Hören → LERNTECHNIK**

Wenn man eine Fremdsprache hört, ist man entweder aktiv am Gespräch beteiligt oder man ist nur passiver Zuhörer, zum Beispiel in einer Vorlesung an der Universität, als Fernsehzuschauer, als Radiohörer, bei einem Vortrag usw. Je nach Situation gibt es unterschiedliche Möglichkeiten, zu kontrollieren, ob man das Gehörte richtig verstanden hat. Ordnen Sie die einzelnen Aktivitäten richtig zu.

aktiv Beteiligter	passiver Zuhörer	Aktivität
☐	☐	um Wiederholung des Gesagten bitten
☐	☐	Stichpunkte mitnotieren
☐	☐	das Gehörte im Frageton wiederholen
☐	☐	das Gehörte neu formulieren und bestätigen lassen
☐	☐	den Sprecher bitten, langsamer zu sprechen
☐	☐	das Gehörte in einzelnen Abschnitten noch einmal hören
☐	☐	das Gehörte nachsprechen oder mitsprechen

zu Seite 63

16 Tauschpartner → **SPRECHEN**

Sie erhalten drei der folgenden Kärtchen von Ihrem Kursleiter.
Sie brauchen:

... einmal pro Woche einen freien Tag – Sie leben mit einer pflegebedürftigen Person zusammen.

... einmal pro Woche einen freien Abend – Sie haben zwei kleine Kinder.

... jemanden, der Ihnen den Inhalt eines fremdsprachlichen Textes erklärt.

... jemanden, der Ihr Fahrrad repariert.

... jemanden, der für Sie Reparaturen in der Wohnung übernimmt.

... jemanden, der Ihren Hund an Wochentagen ausführt, wenn Sie im Büro sind.

... jemanden, der Ihnen hilft, einen neuen Drucker und Scanner zu installieren.

... Hilfe am Wochenende, da Sie sich nicht selber versorgen können.

... jemanden, der dreimal wöchentlich mittags Essen für Ihre Kinder kocht.

zu Seite 63

17 Tauschbörse → **SCHREIBEN**

Sie möchten Dinge, die Sie nicht mehr brauchen, in einer Online-Tauschbörse anbieten. Verfassen Sie eine kurze Beschreibung Ihres Objektes.

Nennen Sie mindestens drei der folgenden Eigenschaften:

Farbe – Form – Funktion – Wert/Preis – Größe – Inhalt – Marke – Material

Beispiel:
Ich biete lange, dunkelbraune Handschuhe aus Ziegenleder von der Firma Prada. Sie sind nur einmal getragen. Neupreis 139 Euro. Jetzt nur 59 Euro.

zu Seite 65, 7

18 Infinitiv, Präteritum, Perfekt → **GRAMMATIK**

Notieren Sie das Grundverb und bilden Sie das Präteritum und das Perfekt.

Verb	Grundverb	Präteritum	Perfekt
ablesen	lesen	las ab	hat abgelesen
aufbrechen			
ausgehen			
beibringen			
beschreiben			
bestehen			
betragen			
einziehen			
ertragen			
sich aufhalten			
sich niederlassen			
vorkommen			

zu Seite 65, 7

19 Eine Sage → **WORTSCHATZ/GRAMMATIK**

Setzen Sie im folgenden Text die fehlenden Verben ein.

Der Rattenfänger von Hameln

An den Ufern eines großen Flusses in Norddeutschland lag die Stadt Hameln. Die Bürger waren ehrliche Leute, die zufrieden ...lebten.... Nur eines .... sie immer mehr: Ratten waren in Hameln zur Plage geworden. Bald .... es ein schwarzes Meer von Ratten in der Stadt. Sie .... alles, was sie finden konnten. Die entsetzten Bürger versammelten sich im Rathaus und ...., dass der Bürgermeister und die Stadträte etwas unternehmen.

fressen
geben
~~leben~~
stören
verlangen

„Wir müssen Hilfe holen", sagte der Bürgermeister ernst. In dem Moment .... ein großer, schlanker Mann herein, der bunte Kleider .... und eine lange, goldene Flöte in der Hand hielt. „Ich bin der Rattenfänger", ... der Fremde. „Ich habe schon andere Städte von Ungeziefer befreit, und für eintausend Gulden erlöse ich euch von euren Ratten."
„Eintausend Gulden!", rief der Bürgermeister. „Wir geben euch fünfzigtausend, wenn Ihr das ....!"
„Eintausend genügen", sagte der Fremde ruhig. „Morgen früh, bei Sonnenaufgang, wird es in Hameln keine einzige Ratte mehr ...."

erklären
geben
schaffen
tragen
treten

Im grauen Licht der Morgendämmerung .... man den süßen Klang der Flöte in der Stadt. Der Rattenfänger .... langsam durch die Straßen. Aus allen Türen und Fenstern .... die Ratten geklettert und liefen quietschend hinter der Musik her. Gefolgt von einem Heer von Ratten, ging er zum Fluss. Er .... knietief im fließenden Wasser. Die Ratten schwärmten hinter ihm her und ....

ertrinken
gehen
hören
kommen
stehen

Die Stadträte .... sich die Hände vor Freude darüber, dass sie ihr Problem so schnell losgeworden waren. Bald .... jedoch jemand an der Tür des Sitzungssaales. „Meine eintausend Gulden", sagte der Rattenfänger.
„Ach ja", ... der Bürgermeister herablassend. „Nun, guter Mann, die Ratten sind jetzt alle tot. Das .... wirklich nicht viel Arbeit. Ich finde, Ihr solltet mit fünfzig Gulden zufrieden sein."
„Eintausend Gulden, oder Ihr werdet es ....!", sagte der Flötenspieler wütend.
Der Bürgermeister .... den Kopf.
„Fünfzig oder gar nichts." – „Was man verspricht, sollte man auch ....", warnte der Rattenfänger und verschwand.

bereuen
erwidern
halten
klopfen
reiben
schütteln
sein

In jener Nacht .... die Einwohner von Hameln zum ersten Mal seit Wochen gut. Als bei Tagesanbruch der sonderbare Klang einer Flöte durch die Straßen strich, hörten es nur die Kinder. Von der süßen Musik angezogen, ... sie aus den Häusern. Der Rattenfänger .... die Kinder auf einen großen Berg in eine Höhle. Als alle Kinder in der Höhle waren, rollte ein großer Felsbrocken vor den Eingang. Als die Bürger aufwachten und ...., dass ihre Kinder verschwunden waren, suchten sie sie überall. Umsonst. „Wir waren zu geizig", sagten die Stadträte traurig und .... an die Warnung des Rattenfängers. Von den Kindern hat man nie wieder etwas .... Aber es heißt, dass jenseits des großen Berges glückliche Menschen leben, die die Nachkommen der Kinder von Hameln sein sollen.

denken
entdecken
führen
hören
schlafen
strömen

LEKTION 4 – *Ausspracheтraining*

Diphthonge: ei – au – eu

1
LERNER-CD 14

Gedicht von Joachim Ringelnatz

Hören Sie das Gedicht und ergänzen Sie die fehlenden Wörter.

In Hamburg lebten zwei ....
Die wollten nach Australien ....
Bei Altona auf der Chaussee,
Da taten ihnen die .... weh.
Und da verzichteten sie w..........
Dann auf den letzten .... der ....

2
LERNER-CD 15

Wortpaare: *ei* oder *au*

Welches Wort haben Sie gehört? Unterstreichen Sie.

eigen – Augen	Rauch – reich
feile – faule	raufen – Reifen
frei – Frau	schleichen – Schlauch
heiß – Haus	staunen – Steinen

3
LERNER-CD 16

Städtenamen

Hören Sie die Namen und ergänzen Sie *au* oder *ei*.

Augsburg – ....ssee – Br..........nschweig – Fr..........burg – H..........delberg – Lind.......... – L..........pzig – Pass.......... – Pforzh..........m – Tr..........nstein

4
LERNER-CD 17

Hören und sortieren

Hören Sie und ergänzen Sie Wörter in die Liste.
Lesen Sie dann die Liste vor.

ei	au	äu/eu
Ei	Haus	Bedeutung

5
LERNER-CD 18

Zungenbrecher

Hören Sie und sprechen Sie diesen Satz, so schnell Sie können.

Blaukraut bleibt Blaukraut und Brautkleid bleibt Brautkleid.

Lernkontrolle: Was haben Sie in dieser Lektion gelernt?

Kreuzen Sie an.

Ich kann ...

Lesen

- ☐ ... einem Sachtext aus dem Internet über das Geschäftsmodell *Aldi* die zentralen Informationen entnehmen.
- ☐ ... bei Kurzrezensionen, die von Lesern eines Sachbuchs ins Internet gestellt wurden, die Bewertungen der Verfasser erkennen.
- ☐ ... die Hauptaussagen einer Reportage zum Thema *Kaufverhalten* zusammenfassen.
- ☐ ... Motive für das Verhalten einer Person nachvollziehen.

Hören

- ☐ ... in einem längeren Gespräch mit einer Autorin Ziele und Funktionsweise einer Tauschbörse verstehen.
- ☐ ... Einstellungen und Gefühle der Interviewten nachvollziehen und wiedergeben.

Schreiben - Produktion

- ☐ ... eine Reklamation per E-Mail an ein Online-Auktionshaus verfassen.
- ☐ ... die Ergebnisse einer Umfrage schriftlich zusammenfassen.

Schreiben - Interaktion

- ☐ ... die formalen Merkmale einer E-Mail richtig verwenden.

Sprechen - Produktion

- ☐ ... Übereinstimmungen und Unterschiede zwischen den Ergebnissen zweier Umfragen formulieren.

Sprechen - Interaktion

- ☐ ... in einem Kaufgeschäft Vorschläge machen und Ratschläge geben.
- ☐ ... in einem Gespräch zum Tausch von Leistungen Angebote machen und Gegenleistungen aushandeln.

Wortschatz

- ☐ ... Nomen zur genauen Beschreibung von Einzelhandelsformen verwenden.

Grammatik

- ☐ ... Vergangenheitsformen in stilistisch ausgereiften schriftlichen Texten richtig verstehen und selber einsetzen.
- ☐ ... Sätze und Satzteile richtig verneinen.

Sprechen Sie mit Ihrem Kursleiter/Ihrer Kursleiterin über Tipps zum Weiterlernen.

LEKTION 5 – *Lernwortschatz*

Verben

abhalten von + *Dat.*
anstarren
aussterben
behaupten
bekämpfen
(sich) beschränken auf + *Akk.*
besiegen
bestehen aus + *Dat.*
darstellen
drohen
eingreifen in + *Akk.*
erledigen
erzeugen
etwas (nichts) werden aus + *Dat.*
flüchten
handeln von + *Dat.*
jemanden einsetzen für + *Akk.*
löschen
nachwachsen
nachweisen
retten
scheitern an + *Dat.*
sich lohnen
sich umschauen
sich versetzen in + *Akk.*
stattfinden
überleben
überschätzen
verhindern
verlangen
verseuchen
verwirklichen
voraussehen
wahrnehmen
zusammenfassen
zweifeln

Nomen

die Annahme, -n
der Artenschutz
der/die Außerirdische, -n
die Behörde, -n
der Energieaufwand
die Entdeckung, -en
das Erbgut
der Erfinder, -
die Erfinderin, -nen
das Fluggerät, -e
die Genforschung
das Geschlecht, -er
die Glaskuppel, -n
die Handlung, -en
das Hörspiel, -e
die Hungersnot, ¨-e
das Jahrzehnt, -e
die Kommission, -en
die Lebenserwartung
das Lebewesen, -
die Luftglocke, -n
das Mienenspiel, -e
die Prophezeiung, -en
die Raumfahrt
die Sicht
die Stellungnahme, -n
der Umschlag, ¨-e
die Umweltverschmutzung
das Urteil, -e
die Verpestung
die Vision, -en
der Vorschlag, ¨-e
die Wüste, -n

Adjektive/Adverbien

ahnungslos
begeisterungsfähig
bewohnbar (un-)
drohend
erstaunlich
erstaunt
fraglich
geeignet (un-)
gelegentlich
gelungen
lebensbedrohlich
leblos
machtbewusst
neulich
nüchtern
realisierbar
regelmäßig (un-)
renommiert
ständig
süchtig
utopisch
veraltet
vermutlich
verwirrt
wertvoll
wissbegierig
zeitaufwendig

Ausdrücke

auf der faulen Haut liegen
auf etwas hindeuten
Aufsehen erregen
einen Versuch unternehmen
Erlebnisse schildern
Grenzen setzen
höchste Zeit sein
in Konflikt geraten
vom Aussterben bedroht sein

5

1 Bilden Sie sinnvolle Sätze. → **WORTSCHATZ**

Suchen Sie Verben, Nomen und eventuell Adjektive bzw. Adverbien heraus und bilden Sie damit sinnvolle Sätze zum Thema „Zukunft".
Beispiel: *Verschiedene Arten von Lebewesen sterben durch Umweltverschmutzung aus.*

zu Seite 70, 6

2 Formen des Konjunktivs II → GRAMMATIK

Setzen Sie folgende Verben in den Konjunktiv II. Wählen Sie dabei eine gebräuchliche Form.

a Gegenwart

er kommt - *er käme*	er nimmt -
wir fragen - *wir würden fragen*	ihr arbeitet -
sie weiß -	sie brauchen -
ich bin -	du darfst -
du kannst -	wir wollen -
ihr habt -	das heißt -
sie gehen -	ich schlafe -
wir helfen -	sie sollen -

b Vergangenheit

ich fuhr -	ich kannte -
er spielte -	er ging aus -
sie hatte geholt -	er war gekommen -
wir wussten -	wir machten -
sie durften -	sie hat erzählt -
du hast gesehen -	sie hatten überlebt -
er ist geflogen -	er war erstaunt -
ihr bliebt -	sie drohten -

5

zu Seite 70, 6

3 Regeln zum Konjunktiv II → GRAMMATIK

Ergänzen Sie die Regeln zu den Formen des Konjunktivs II.

a Die Originalformen des Konjunktivs II benutzt man vor allem bei den Hilfsverben .... und .... sowie den ....verben.

b Bei allen anderen Verben ist in der Alltagssprache die Umschreibung mit .... üblicher. Die ....form klingt meist veraltet.

c Eine Ausnahme bilden Verben wie *brauchen, geben, kommen, lassen* oder *wissen*. Sie stehen auch heute noch häufig in der Originalform des Konjunktivs II.

zu Seite 70, 6

4 Irreale Bedingungen → GRAMMATIK

Antworten Sie auf folgende Fragen mit einem irrealen Bedingungssatz.

Beispiel: Kennst du den Minister persönlich?
Antwort: *Wenn ich den Minister persönlich kennen würde, könnte ich ihm mein Problem selbst vortragen.*

a Frage: Kann man Naturkatastrophen verhindern?
Antwort: ....

b Frage: Ist diese Methode veraltet?
Antwort: ....

c Frage: Gibt es in deiner Heimat nur glückliche Menschen?
Antwort: ....

d Frage: Zweifelst du an der Ehrlichkeit von Politikern?
Antwort: ....

e Frage: Können Computer und Roboter in Zukunft alle Arbeiten übernehmen?
Antwort: ....

zu Seite 70, 6

5 Was wäre, wenn ...? → GRAMMATIK

Was würde passieren, wenn die abgebildeten Situationen real wären? Formulieren Sie zu jedem Bild einen Satz.

Wenn der Mensch einen Propeller hätte, käme er schneller vorwärts.

zu Seite 70, 8

6 Artikelwörter, Pronomen und Präpositionalpronomen → LESEN/GRAMMATIK

Auf welche Stellen im Text beziehen sich jeweils die fett gedruckten Verweiswörter?

*„Im Jahr 1984 wird es uns gelungen sein, synthetische Lebensmittel herzustellen.“ **Das** meinte 1964 der schottische Professor für Biologie C. H. Waddington. Und wie stellte man sich den Speiseplan der Zukunft vor? **Darauf** sollten „chemische Leckerbissen“ stehen, **die** folgendermaßen gewonnen wurden: Wasser, **das** dunkle Farbe und chemische Substanzen enthält, fließt durch Röhren über eine Fläche. **Darüber** sind Sonnenkollektoren angebracht. **Die** liefern die Energie, um aus den chemischen Substanzen künstliche Kohlenhydrate, Öle und Eiweiß zu gewinnen. **Das** ist dann das Ausgangsmaterial für Brot, Wurst, Bier und Beefsteak aus der Retorte. **Dazu** ist es jedoch nicht gekommen. Denn es wäre unsinnig, etwas künstlich zu produzieren, was die Natur viel effizienter und besser kann.*

das bezieht sich auf den ganzen ersten Satz.
darauf ...

zu Seite 70, 8

7 Regeln zu *das, dies, es* und *da(r)-* + Präposition → GRAMMATIK

Ergänzen Sie die Regeln für die Verweiswörter *das, dies, es* und *da(r)-* + Präposition.

a) Die gleichbedeutenden Pronomen .... und .... verweisen auf etwas, was vorher im Text stand, d.h. sie verweisen zurück. Sie stehen gewöhnlich in Position ....

b) Das Pronomen, das gewöhnlich auf etwas verweist, was noch folgt, heißt .... Im Akkusativ kann es nicht in Position .... stehen.

c) Hat das Verb im Satz eine feste Präposition, so bildet man ein Pronominaladverb nach der Regel .... + Präposition. Dieses Wort kann sowohl nach vorne als auch nach .... verweisen, also auf etwas, was schon im Text stand oder erst folgt.

zu Seite 70, 8

8 Erklärungen → GRAMMATIK

Erklären Sie die folgenden Begriffe, indem Sie sagen, was man damit alles machen kann oder was durch sie alles passiert.

Beispiel: der Mond: *davon handeln viele Gedichte*
dahin kann man mit einem Raumschiff fliegen
durch ihn werden die Ozeane beeinflusst

a eine Kreditkarte: *dafür ...* *damit ...* *dadurch ...*

b eine Weltreise: *davon ...* *dabei ...* *darauf ...*

c die Zukunft: *davor ...* *darauf ...*

d eine Zeitmaschine: *davon ...* *damit ...* *dadurch ...*

zu Seite 70, 8

9 Was ist das? → WORTSCHATZ

Raten Sie, worum es sich bei den folgenden Definitionen handelt.

Beispiel: *Darin kann man sich sehen.*
Davon gibt es große und kleine, eckige und runde.
Davor kann man stehen.

Antwort: *ein Spiegel*

Definieren Sie zwei oder drei weitere Begriffe und lassen Sie die anderen raten, worum es sich handelt.

5

zu Seite 73, 3

10 Welches Wort passt nicht? → WORTSCHATZ

Behörde	denken	offenbar	Ansicht	verschmutzt
Kommission	zweifeln	früher	Vermutung	verboten
Verwandter	überlegen	vielleicht	Idee	verseucht
Vorgesetzter	meinen	unbedingt	Rettung	unbewohnbar
Geladener	sehen	selbstverständlich	Behauptung	leblos

zu Seite 73, 3

11 Ausdruckstraining → WORTSCHATZ

Ersetzen Sie die unterstrichenen Ausdrücke aus dem Hörspiel durch die Verben in Klammern.

Beispiel:

Vertreter der Behörde (V): Sie wollen einen Fisch gesehen haben? *(behaupten)*
Sie behaupten, einen Fisch gesehen zu haben?

V: Wissen Sie, was das bedeutet? *(sich über etwas klar sein)*

V: Sie haben also einen Fisch gesehen – im Jahre 2972, obwohl es seit 500 Jahren keine Fische mehr gibt. *(ausgestorben sein)*

Geladener (G): Wollen Sie, dass die Computer die Beurteilung vornehmen? *(überlassen)*

G: Ich will sofort Ihren Vorgesetzten sprechen! *(verlangen)*

G: Sicher entdecken Sie den Fisch in kürzester Zeit. *(überzeugt sein)*

G: Sie wissen, dass es vermutlich längst eine Regeneration von Luft und Wasser gegeben hat. *(stattfinden)*

zu Seite 73, 5

12 Strategien zum Hören in der Fremdsprache → LERNTECHNIK

Es gibt Strategien, unbekannte Wörter in Hörtexten zu erschließen. Beim ersten Hören sollte man sich auf die Wörter, die man kennt, konzentrieren, nicht auf Wörter, die man nicht sofort versteht.

a Die Textsorte erkennen und Wissen darüber aktivieren
Oft hilft es bereits, wenn man weiß, um welche Textsorte es sich handelt. Dann kann man passende Themen und Inhalte zuordnen. Ergänzen Sie die folgende Tabelle.

Textsorte	mögliche Themen	mögliche Inhalte
Science-Fiction-Hörspiel	zukünftige Lebensbedingungen auf der Erde, Entwicklung des Menschen und der Tiere usw.	Verschmutzung, Unfruchtbarkeit, Roboter usw.
Radionachrichten	...	...
Dialog unter Ehepartnern	Schulprobleme der Kinder, ...	...

b Geräusche deuten
Geräusche können Ihnen helfen, eine Sprechsituation näher zu bestimmen. An welche Situation denken Sie bei folgenden Geräuschen?

Schritte auf einer Holztreppe / Schlüsselklappern / Tür fällt ins Schloss

Notieren Sie einige Geräusche, die Ihnen zu einer bestimmten Situation einfallen, und lassen Sie die anderen die Situation erraten.

5

zu Seite 73, 6

13 Irrealer Vergleich → GRAMMATIK

Bilden Sie Sätze mit *als ob, als wenn* oder *als* (+ Verb).

Beispiel: Peter hatte in seinen Diplomprüfungen sehr schlechte Noten.
Aber er tut so, als ob er die Prüfung mit guten Noten bestanden hätte.
Aber er tut so, als wenn ihm das nichts ausmachen würde.
Aber er tut so, als würde ihn das kaltlassen.

a Seine Freundin hat mit ihm Schluss gemacht.
Aber er tut so, als ob ...

b Er verdient in seinem Job sehr schlecht.
Aber er tut so, als wenn ...

c Peter weiß nicht, mit wem er das Wochenende verbringen soll.
Aber er tut so, als ...

d Oft sitzt er zu Hause und ist traurig.
Aber er tut so, als ...

zu Seite 73, 6

14 Es sieht so aus, als (ob/wenn) ... → GRAMMATIK

Ergänzen Sie die Sätze.

a Der Himmel sieht aus, als ob es jeden Moment regnen würde.
b Die Chefin sah ihre Angestellten an, als ...
c Der Junge spielt Fußball, als ...
d Großvater machte in der Küche einen Lärm, als ...
e Sabine hat einen Appetit, als ...
f Frau Sauer erzählt so viel über Spanien, als ...

zu Seite 74, 2

15 Kritik → **SCHREIBEN**

Verfassen Sie eine Kritik zu einem Science-Fiction-Buch, das Sie gelesen haben, bzw. zu einem Science-Fiction-Film, den Sie gesehen haben.

- Nennen Sie den Titel des Buchs bzw. des Films (kann auch in Ihrer Muttersprache sein).
- Informieren Sie über den Autor bzw. den Regisseur. Fassen Sie den Inhalt in einigen Sätzen zusammen.
- Sagen Sie etwas zur Bedeutung der Handlung.
- Erläutern Sie abschließend, warum Sie das Buch oder den Film gut finden bzw. nicht gut finden.

Sie können beim Schreiben einige der folgenden Redemittel verwenden.

Titel	***Der Roman heißt ... ... schrieb ihn im Jahr ...***
Autor/Regisseur	***Der Film mit dem Titel ... wurde im Jahr ... von dem Regisseur/ der Regisseurin ... gedreht.***
Inhalt	***Er handelt von ...*** ***Die Hauptfigur ist .../Die Hauptrolle spielt ...*** ***Außerdem kommen darin ... vor.*** ***Die Handlung könnte man in wenigen Sätzen so zusammenfassen: ...***
Bedeutung	***... könnte im Zusammenhang mit ... stehen.*** ***... hat eine (symbolische) ... Bedeutung, d.h., ...*** ***... wird erst in der zweiten Hälfte der Geschichte/des Films klar.***
eigene Meinung	***Das Buch/Der Film ist meiner Meinung nach (nicht) sehr gelungen/spannend/lehrreich, denn ...*** ***Besonders interessant finde ich ...*** ***... hat mir weniger gut gefallen.*** ***Kurz gesagt halte ich den Roman/den Film eigentlich (nicht) für ...***

zu Seite 75, 3

16 Zeitangaben → **WORTSCHATZ**

Setzen Sie die passenden temporalen Ausdrücke in die Sätze ein.

damals – im Augenblick – in einigen Jahrhunderten – Jahreszeiten – jetzt – vor einigen Jahren – gegenwärtig – demnächst – täglich – in der Zukunft – vor Kurzem

a Vor Kurzem lief der neue Science-Fiction-Film „Die Primaten kommen aus dem All zurück" im Kino an. Den werde ich mir .... anschauen.

b .... gab es schon einmal einen Film mit einem ähnlichen Titel. Er hieß „Rückkehr vom Planet der Affen".

c .... interessierte mich die Thematik schon genauso wie ....

d In dem neuen Film geht es darum, dass wir noch keine Vorstellung davon haben, wie die Welt .... aussehen wird.

e Es gibt dann womöglich keine richtigen .... mehr und die Temperaturen werden per Computermanipulation .... um 2–3° erhöht oder gesenkt.

f Die Menschen treten .... auch mit Lebewesen von anderen Gestirnen in Kontakt.

g Ob sie dann glücklicher als .... leben werden, ist allerdings fraglich.

zu Seite 75, 3

17 Adjektivische Zeitangaben → WORTSCHATZ

Wie lauten die Adjektive zu folgenden Zeitangaben?
Enden sie auf *-lich* oder *-ig?* Manchmal gibt es zwei Möglichkeiten.

gestern	- gestrig	der Monat	-
heute	-	die Zukunft	-
die Woche	- wöchentlich, zweiwöchig	der Abend	-
das Jahr	-	die Nacht	-
die Stunde	-	der Morgen	-
der Tag	-		

zu Seite 75, 3

18 Zeitangaben: Wie sage ich es anders? → WORTSCHATZ

Ersetzen Sie die unterstrichenen Ausdrücke durch Adjektive aus Übung 17. Achten Sie auf die Endungen.

Die Zeitung von heute (1) berichtet von einer ganz aktuellen Entwicklung. In der Beilage, die einmal pro Woche erscheint (2), wird das Zusammenleben der Menschen in der Zukunft (3) vorgestellt. Bei diesem Projekt, das drei Jahre gedauert hat (4), haben Städteplaner und Architekten zusammengearbeitet. In der von ihnen geplanten Wohnanlage sollen die Bewohner die Möglichkeit haben, alles, was sie jeden Tag (5) erledigen müssen, maximal 200 Meter von zu Hause entfernt zu tun. Dazu gehören nicht nur der Fitnesslauf am Morgen (6), den man in Zukunft (7) auf dem Sportplatz vor der Haustür absolvieren kann, sondern auch Aktivitäten am Abend (8), wie z.B. Tanzkurse oder Kino- und Restaurantbesuche. Dafür stehen Freizeit- und Veranstaltungsräume zur Verfügung, die die Mieter nach einem Zeitplan, der jeden Monat (9) erstellt wird, nutzen können.

(1) die heutige Zeitung
(2) ....
(3) ....
(4) ....
(5) ....
(6) ....
(7) ....
(8) ....
(9) ....

5

zu Seite 75, 4

19 Redewendungen → WORTSCHATZ

Ergänzen Sie in den folgenden Texten die Redewendungen aus dem Kursbuch Aufgabe 4.

a) Sie warten an der U-Bahn auf eine Freundin, mit der Sie ins Theater gehen wollen. Es ist schon 20 Minuten vor Vorstellungsbeginn, die Freundin kommt 10 Minuten später als verabredet. Da sagen Sie zu ihr: „Es ist höchste Zeit, sonst werden wir nicht mehr in die Vorstellung gelassen."

b) Sie sitzen mit Freunden in einem Lokal und verbringen einen amüsanten und kurzweiligen Abend. Als Sie auf die Uhr sehen, erschrecken Sie, weil es schon fast 2 Uhr nachts ist und Sie morgen früh aufstehen müssen. Da sagt ein Bekannter zu Ihnen:

....

c Sabine hat ein Problem: Sie ist sehr unzufrieden an ihrem Arbeitsplatz und würde ihn gern am liebsten gleich kündigen. Da sie aber überhaupt noch nicht weiß, wie es anschließend weitergehen soll, bittet ihre Mutter sie: „Triff keine zu schnellen und unüberlegten Entscheidungen. Du weißt ja: ....

d Ein Firmenchef kauft neue Maschinen, die zwar teuer sind, aber um einiges schneller als die alten arbeiten. Natürlich ist seine Devise: ....

e Martha kocht gerne Nudelgerichte und möchte endlich auch einmal die Nudeln selbst machen. Ihr Mann versteht nicht, warum sie nicht lieber sehr gute Nudeln im Feinkostladen kauft. Für ihn ist die eigene Nudelherstellung ....

f Sie wollen einen Freund zu einem Spaziergang im Park abholen. Als Sie bei ihm klingeln, ist er noch mitten bei der Hausarbeit und wirkt deshalb etwas gestresst. Sie haben aber keine Eile und sagen zu ihm: ....

zu Seite 78, 9

20 Synonyme → WORTSCHATZ

Setzen Sie die folgenden synonymen Ausdrücke oder Pronominaladverbien für das Wort *Haus* in den Text ein.

Reihenhaus – Gebäude – die eigenen vier Wände –
Bungalow – darin – Eigenheim

Das Haus, in dem ich wohne, ist ein vierstöckiges Haus. In dem Haus wohnen zwölf Parteien. Einige Mieter wollen nicht ewig hier bleiben, sie sparen für ein Haus, das ihnen selbst gehört. Da der Bau oder der Kauf eines eigenen Hauses in der Großstadt sehr teuer ist, sind die meisten mit einem Haus, das Wand an Wand mit anderen steht, schon zufrieden. Dort, wo die Grundstücke billiger sind, bauen viele Leute auch flache, einstöckige Häuser.

zu Seite 78, 9

21 Vom Satz zum Text → LESEN/GRAMMATIK

a Lesen Sie die kommentierte Zusammenfassung zum Roman „Briefe in die chinesische Vergangenheit“.

b Ersetzen Sie die unterstrichenen Wörter durch Pronomen, Pronominaladverbien, Adverbien, Possessivartikel usw., sodass ein zusammenhängender Text entsteht.

Beispiel: Ein chinesischer Mandarin aus dem 10. Jahrhundert gelangt mit einer Zeitmaschine in das heutige München.
Im heutigen München sieht sich der Mandarin mit dem völlig anderen Leben der „Ba-Yan“ und den kulturellen und technischen Errungenschaften der „Ba-Yan“ konfrontiert.

Ein chinesischer Mandarin aus dem 10. Jahrhundert gelangt mit einer Zeitmaschine in das heutige München. Dort sieht er sich mit ...

Der Mandarin weiß zunächst nur, dass er 1000 Jahre in die Zukunft gereist ist, nicht aber, dass er an einem völlig anderen Ort in einer völlig anderen Kultur gelandet ist.

Da er an einem völlig anderen Ort und in einer völlig anderen Kultur gelandet ist, kommt es zu grotesken Erlebnissen.

Diese grotesken Erlebnisse kommentiert der Chinese, der deutschen Sprache und Landeskunde zunächst unkundig, mit viel Humor.

Als Leser amüsiert man sich über die grotesken Erlebnisse und die humorvollen Kommentare.

Während man sich amüsiert, beginnt man, Alltägliches und Selbstverständliches der eigenen Kultur aus einer gewissen Distanz zu betrachten.

Die Distanz entsteht dadurch, dass man die eigene Kultur durch die „Brille" eines naiven und erstaunten Fremdlings sieht.

Aus dieser Perspektive gelingt es dem Autor, auf ironische Weise Selbstkritik bzw. Kritik an der eigenen Kultur zu üben.

zu Seite 78, 12

22 Stellen Sie sich vor ... → GRAMMATIK

Setzen Sie die Aussagen in die irreale Form. Achten Sie dabei auf die richtige Zeitstufe.

a) Ich kannte den Herrn nicht. Ich grüßte ihn nicht.
Wenn ich den Herrn gekannt hätte, hätte ich ihn gegrüßt.
Hätte ich den Herrn gekannt, hätte ich ihn gegrüßt.

b) Herr Siebert kam erst spät nach Hause. Seine Frau schlief schon.

c) Die Übertragung des Fußballspiels beginnt um 19 Uhr. Wir kommen leider erst um 20 Uhr zurück und können sie nicht ganz sehen.

d) Die Feuerwehr wurde zu spät benachrichtigt. Sie konnte das Feuer nicht mehr löschen.

e) Die Umweltverschmutzung zerstört den Lebensraum vieler Tiere. Eine Vielzahl von Tierarten ist schon ausgestorben.

f) Die Politiker nehmen die Warnungen der Experten nicht wahr. Sie unternehmen nichts gegen die Ausdehnung der Wüste.

zu Seite 78, 12

23 Konjunktiv II mit Modalverben und im Passiv → GRAMMATIK

Setzen Sie die folgenden Verben in den Konjunktiv II.

Konjunktiv II mit Modalverben	Konjunktiv II im Passiv
er muss erledigen – *er müsste erledigen*	er wird angeklagt – *er würde angeklagt*
wir konnten helfen – *wir hätten helfen können*	er wurde befragt – *er wäre befragt worden*
sie sollte anrufen –	wir werden gebraucht –
du musstest fragen –	sie wurden belogen –
ich will erklären –	ihr seid bestraft worden –
ich sollte überlegen –	ich werde angerufen –
man muss zweifeln –	du wirst beobachtet –
wir können verwirklichen –	wir wurden gerettet –

zu Seite 78, 13

24 Irreale Wünsche → GRAMMATIK

Frau Schulz ist mit ihrem Leben unzufrieden. Alles sollte anders sein. Formulieren Sie ihre Wünsche mit den Partikelwörtern *doch, nur, doch nur, bloß* oder *doch bloß*.

a Frau Schulz hat eine kleine, dunkle Zwei-Zimmer-Wohnung. Sie wünscht sich: *Wenn ich doch nur eine größere und hellere Wohnung hätte!* oder *Hätte ich bloß eine größere Wohnung!*
b Ihr Auto ist schon zwölf Jahre alt. Sie wünscht sich: ...
c Sie lebt schon lange allein.
d Sie fühlt sich dick und hässlich.
e Sie hat keine Kinder.
f Ihre Arbeit findet sie langweilig.

zu Seite 79, 4

25 Die Welt im Jahre 2100? → SCHREIBEN

Verfassen Sie mit ein wenig Fantasie ein kleines Szenario der Zukunft.

Berichten Sie darüber,
- was wir essen und trinken werden.
- wie wir wohnen werden.
- welche Verkehrsmittel wichtig sein werden.
- wie sich unsere Arbeit verändert haben wird.

Sagen Sie zum Schluss, worauf Sie sich besonders freuen. Schreiben Sie circa 150 Wörter.

zu Seite 79, 4

26 Die unendliche Geschichte → WORTSCHATZ

Lesen Sie die Zusammenfassung zu folgendem Film und setzen Sie die Verben in der linken Spalte an den richtigen Stellen im Text ein.

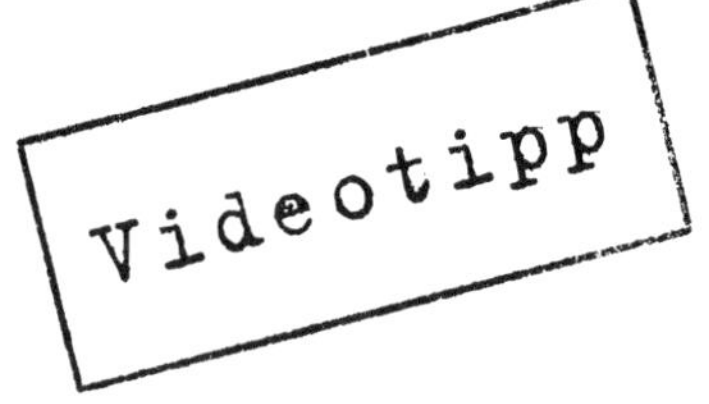

DIE UNENDLICHE GESCHICHTE

***REGIE* WOLFGANG PETERSEN**

***NACH EINEM ROMAN VON* MICHAEL ENDE**

entdeckt
erhält
durchlebt
durchsetzen
gejagt
erkennt
~~schikaniert~~
flüchtet
versteckt

Der mutterlos aufwachsende, verträumte Bastian wird von seinen Klassenkameraden ständig schikaniert. Als er wieder einmal von ihnen .... wird, ... er in ein Antiquariat, wo er das Buch mit der unendlichen Geschichte .... Er .... sich mit der Lektüre auf dem Dachboden seiner Schule, taucht in die Welt des jungen Helden Artréjus ein. Er .... Artréjus verzweifelten Kampf, das Land Phantasien, dessen skurrile Bewohner und die kindliche Kaiserin vor der Zerstörung durch das Nichts zu bewahren. Dabei .... Bastian eine Schlüsselrolle. Er .... sich selbst und gewinnt das nötige Selbstvertrauen, mit dem er sich in Zukunft in der wirklichen Welt .... will.

die Konsonanten l und r

1
LERNER-CD 19

Wortpaare *l – r*

Hören Sie und sprechen Sie dann nach.

blaue	-	Braue	Wert	-	Welt
groß	-	Kloß	lasten	-	rasten
Alm	-	Arm	legen	-	Regen

2
LERNER-CD 20

l und *r* kombiniert

Hören Sie und sprechen Sie nach.

- Der Plan ist praktisch fertig.
- Das Projekt ist plötzlich geplatzt.
- Die Pflaumen schmecken prima.
- Man braucht bloß langsam und leise zu trainieren.

3

Buchstabensalat

a Lesen Sie, was der österreichische Dichter Ernst Jandl schrieb:

b Korrigieren Sie den Satz.
Nach welchem Prinzip wurden Buchstaben verändert?

c Überlegen Sie sich einen Satz, in dem die Buchstaben *l* und *r* vorkommen, und verändern Sie ihn nach dem gleichen Prinzip.

lichtung
manche meinen
lechts und rinks
kann man nicht velwechsern
werch ein illtum

5

4

Zungenbrecher

Sprechen Sie mehrmals hintereinander, immer schneller, möglichst ohne Fehler zu machen:

Fischers Fritz fischt fleißig frische fliegende Fische,
fleißig fischt Fischers Fritz fliegenden frischen Fisch.

5
LERNER-CD 21

r am Wortende

a Hören Sie folgenden Satz und unterstreichen Sie, wo Sie ein *r* gehört haben. Was hört man, wenn ein *r* am Wortende steht?
„Der Traum einiger renommierter Wissenschaftler."

b Lesen Sie laut.

der Hörer	-	die Hörerin	der Vertreter	-	die Vertreterin
das Tier	-	die Tiere	die Feier	-	ich feiere
schwer	-	schwere			

6
LERNER-CD 22

Unterstreichen Sie alle r-Laute in den Sätzen.

Hören Sie die Sätze und unterstreichen Sie, wo Sie ein *r* gehört haben. Wie oft war das?

- Hier ist die Tür zur großen Halle.
- Wir gehen immer öfter in die Oper.
- Viele Zuschauer und Zuhörer warten auf den Wetterbericht.
- Vier Kinder haben vier brave Haustiere.

LEKTION 5

Lernkontrolle: Was haben Sie in dieser Lektion gelernt?

Kreuzen Sie an.

Ich kann ...

Lesen

- ☐ ... inhaltliche und textgrammatische Zusammenhänge innerhalb einer Reportage erkennen.
- ☐ ... aus dieser Reportage wichtige Informationen entnehmen.
- ☐ ... mithilfe des Klappentextes eines Romans mögliche Intentionen des Autors erkennen.
- ☐ ... aus einer Passage eines Briefromans die besondere Logik des Autors verstehen.

Hören

- ☐ ... als Radiohörer die Hauptinformationen aus einer Programmvorschau verstehen.
- ☐ ... die Handlung des literarischen Kurzhörspiels *Der Fisch* in groben Zügen verstehen und wichtige Details entnehmen.

Schreiben – Produktion

- ☐ ... die Handlung des Hörspiels zusammenfassen.
- ☐ ... meine eigene Meinung dazu in einem Kommentar ausdrücken.

Sprechen – Interaktion

- ☐ ... Ratschläge zu schwierigen Lebenssituationen geben.
- ☐ ... auf solche Ratschläge reagieren.

Sprechen – Produktion

- ☐ ... über die Aussage eines Bildes sprechen.
- ☐ ... die in einem gehörten literarischen Text enthaltenen Botschaften zusammenfassen und meine Meinung dazu formulieren.
- ☐ ... über *Fantasien, Wünsche und (unerfüllte) Träume* sprechen.

Wortschatz

- ☐ ... idiomatische Ausdrucksweisen zu den Themen *Zukunft, Utopien* und *Irreales* verwenden.
- ☐ ... mich mithilfe von Adverbien zu den kulturell unterschiedlichen Vorstellungen von *Zeit* äußern.

Grammatik

- ☐ ... Formen des Konjunktivs II in seinen verschiedenen Verwendungsweisen benutzen.
- ☐ ... mithilfe von Verweiswörtern, Synonymen und Umschreibungen komplexe Texte erstellen.

Sprechen Sie mit Ihrer Kursleiterin/Ihrem Kursleiter über Tipps zum Weiterlernen.

Lektion 1

S.7/1 **Nomen, positiv:** Fleiß, Großzügigkeit, Zuverlässigkeit; **negativ:** Aggression, Egoismus, Eifersucht, Maßlosigkeit, Schwäche, Trägheit; **neutral:** Stolz
Adjektive, positiv: ehrlich, flexibel, geduldig, gesellig, großzügig, hilfsbereit, höflich, humorvoll, interessiert, klug, reif, verantwortungsbewusst, zivilisiert, zufrieden; **negativ:** arrogant, böswillig, depressiv, unehrlich, eifersüchtig, eingebildet, unflexibel, ungeduldig, ungesellig, unhöflich, nervös, oberflächlich, unordentlich, pedantisch, unreif, schüchtern, unsensibel, verschlossen; **neutral:** anpassungsfähig, lebhaft, neugierig, ordentlich, sensibel

S.9/5 b) -e; -en c) Kasus-Signal

S.9/6 beliebten, gelesenen, zahlreiche, besondere, fremde, exotische, bestbesuchten

S.10/7 den/einen großen Erfolg, mit dem/einem großen Erfolg, des/eines großen Erfolges; die gute G., die/eine gute G., mit der/einer guten G., einer guten G.; das europaweite Unternehmen, das europaweite Unternehmen, ein europaweites Unternehmen, mit dem/einem europaweiten Unternehmen, des/eines europaweiten Unternehmens; viele unbekannte Welten, die unbekannten Welten, viele unbekannte Welten, mit den/vielen unbekannten Welten, der unbekannten Welten, vieler unbekannter Welten

S.10/9 b) -er, c) -es, d) -e, e) -e, f) -en, g) -en, h) -en, i) -e, j) -en, k) -e, l) -en, m) -en, n) -e, o) -en, p) -en

S.11/11 (1) heißes (2) Näheres (3) Genaueres (4) letzter (5) Interessantes (6) Neues (7) Neues/neues (8) unbekanntes (9) Historisches (10) Aktuellem

S.11/12 eingebildet, nervös, kritisch, altmodisch, oberflächlich, zynisch

S.12/13 1. 20/21; 2. 9/10 und 13/14; 3. 2/3; 4. 1; 5. 3; 6. 7/8; 7. 13/14; 8. 19; 9. 5/6; 10. 23/24

S.13/14 Wenn ich gelangweilt bin, wippe ich mit dem Fuß. Wenn ich nervös bin, kaue ich meine Fingernägel / an meinen Fingernägeln. Wenn ich wütend bin, stemme ich die Hände in die Hüften. Wenn ich ängstlich bin, beiße ich mir auf die Lippen. Wenn ich ratlos bin, kratze ich mich am Kopf. Wenn ich skeptisch bin, verschränke ich die Arme.

S.13/15 erzkonservativ, urkomisch, urplötzlich, superreich, superschlau, supermodern, hochintelligent, hochmodern, überglücklich, bildschön, wunderschön, todschick, todunglücklich

S.13/16 b) für, c) In, d) im, e) mit, f) bei, g) über, h) darüber, i) für, j) davon, k) an, l) von

S.14/17 **Charakter:** eifersüchtig, freundlich, ordentlich, temperamentvoll, herzlich, höflich, sensibel, treu, humorvoll, stolz, fleißig, zuverlässig, geduldig, verantwortungsbewusst; Gegenteil: großzügig/tolerant, unfreundlich, unordentlich, temperamentlos, herzlos, unhöflich, unsensibel, untreu, humorlos, bescheiden, faul, unzuverlässig, ungeduldig, verantwortungslos
Aussehen: schön, sportlich, gepflegt; Gegenteil: hässlich, unsportlich, ungepflegt

S.14/18 a) recht/ziemlich/ganz, b) total/absolut, c) besonders/höchst/ausgesprochen, d) etwas/recht, e) sehr/ausgesprochen/besonders, f) total, g) höchst/total/absolut

S.15/21 Kurt Tucholsky wurde am 9. Januar 1890 als Sohn eines Kaufmanns in Berlin geboren. Er wuchs in Berlin auf und verbrachte seine gesamte Schulzeit in Berlin. Von 1896 bis 1909 besuchte er das Gymnasium. Dort legte er die Reifeprüfung ab. Er studierte Jura und schloss das Studium mit der Promotion ab. Im Ersten Weltkrieg wurde er zum Wehrdienst eingezogen. Den Wehrdienst leistete er mit äußerstem Widerwillen. Er musste mehrere Jahre als Soldat bei der Armee dienen. Nach dem Krieg nahm er eine Stelle als Leiter der humoristischen Beilage in einer Berliner Tageszeitung an. Nach einer kurzen Zeit als Privatsekretär in einem Bankhaus wurde er als Mitarbeiter bei der Zeitschrift *Die Weltbühne* angestellt. 1924 verließ er seine Heimat Berlin zum ersten Mal für längere Zeit. Er ging ins Ausland und lebte zunächst fünf Jahre in Paris. Danach beschloss er, nicht nach Deutschland zurückzukehren, sondern nach Schweden auszuwandern. Von dort aus unternahm er Reisen nach England und Frankreich. Tucholsky war mehrmals verheiratet. Die Ehe mit der Ärztin Else Weil wurde nach wenigen Jahren geschieden. Und auch von seiner zweiten Frau, Mary Gerold, ließ er sich scheiden. Er hatte keine Kinder. Tucholsky starb am 21. 12. 1935 in Schweden. Er nahm sich das Leben.

S.16/22 auf einem Friedhof beerdigt sein, das Abitur machen/bestehen, eine Diplomprüfung machen/bestehen, eine Schule/einen Kurs besuchen, Reisen unternehmen/machen, zum Militär eingezogen werden, Zeit im Ausland verbringen

S.16/23a aggressiv, depressiv, formal/formell, intelligent, komisch, modern/modisch, moralisch, praktisch, prominent, reaktionär, revolutionär

S.16/23b befreien, unfrei, Freiheit, freilich, freiheitlich; Neuheit, Neuigkeit, erneuern, neulich; unschön, schönen, verschönern, Schönheit

S.17/24 **Adjektiv + Nomen:** Altpapier, Blaulicht; **Adjektiv + Verb:** freihalten, warm halten; **Adjektiv + Adjektiv:** armselig, leichtsinnig, neureich

S.17/25 b) ehrlich, c) herzhaftes, d) altmodisch, e) stilistisch, f) traumhaft, g) eigenhändig, h) lebhaft, i) neugierig, j) vernünftig, k) egoistisch, l) ernsthaft, m) chronischen, n) gesellige, o) pedantisch, p) arbeitslos, q) großzügig, r) kritisch

S.17/26 b) ein Arbeitsloser, c) ein Bekannter, d) ein Reisender, e) ein Fremder, f) ein Beamter, g) ein Angeklagter, h) ein 18-Jähriger/Volljähriger/Erwachsener

S.18/27 a) 1894 verließ er die Schule ohne (einen) Abschluss. b) (Im Jahre) 1900 schloss er das Studium der Physik mit einem Diplom ab. c) 1901 arbeitete er drei Monate als Hilfslehrer am Technikum in Winterthur. d) 1902 wurde er Beamter im/am Patentamt in Bern. e) 1911 wurde er ordentlicher Professor an der deutschen Universität in Prag. f) 1913, im Alter von (nur) 34 Jahren, entwarf Einstein die „Allgemeine Relativitätstheorie". g) 1921 erhielt er den Nobelpreis für Physik/im Fach Physik. h) (Von) 1913 bis 1933 war er Direktor des „Kaiser-Wilhelm-Instituts" in Berlin. i) 1933 emigrierte er in die USA. j) (Von) 1933 bis 1945 arbeitete er als Professor an der Universität (von) Princeton, USA. k) 1941 erhielt/erlangte er die amerikanische Staatsbürgerschaft. l) Einstein starb (im Jahre) 1955 in Princeton.

S.18/28 1f, 2a, 3e, 4c, 5d, 6b

S.19/30 freche, humorvolle; scharfen; leichte; schwedische; hübschen; schimmernde schwedische; rauschende; endlose; durchliebte; sonnendurchglühte; leidenschaftlichen; freizügigen; erotische; politischen; sonnige; dekadente; letzten

S. 19/31 (2) irgendetwas Schlimmes, (3) irgendwelche/sämtliche guten, (4) viele/einige junge/sämtliche jungen, (5) einige gute/irgendwelche guten, (6) solchen großen, (7) irgendetwas Essbares, (8) Jedes kleine, (9) irgendwelche anderen, (10) Solche unkontrollierbaren, (11) einige neuere, (12) irgendetwas Leckeres

S.20/2a Bürger; wütend; Lüfte; Düfte; Ausdrücke; Grüße; Züge; Buch; Hut, Mutter; Vernunft; fuhr; Fuß; Bruder; Tür; für; Küste; Flüge; Züge; liegen; Gericht; spielen; Kissen; missen

S.21/3 Biere, Flüge, kühl, Kissen, lügen, müssen, Mist, spülen, für, Ziege

S.21/4 muss; müsste; muss; musst; müsste; müsste

Lektion 2

S.23/1 benachrichtigen, die Benachrichtigung; berichten, der Bericht; beschreiben, die Beschreibung; interviewen, das Interview; kommentieren, der Kommentar; meinen, die Meinung; mitteilen, die Mitteilung; reagieren, die Reaktion; der Akzent; die Amtssprache; der Dialekt; die Hochsprache; der Klang, klingen; die Umgangssprache

S.24/2 a) **Verb im Perfekt:** ich habe gelesen; **Verb im Präsens:** Leser fragen, Fachleute antworten, Eltern können viel tun, mein Tobias ist, es gibt, ich kann machen, Sie meinen, Vokabular und Grammatik sollen geschult werden (= Vorgangspassiv im Modalsatz), die Antwort lautet, es gibt, etwas wird, Kinder sind; **Infinitiv:** Sprachenlernen fördern (im Titel), viel tun; zu unterstützen, (ich kann) machen, geschult werden; beizubringen, auseinanderzuhalten; **Modalverb:** Eltern können viel tun, ich kann machen, geschult werden sollen; **Nomen-Verb-Verbindung:** zur Dressur werden, in der Lage sein; **Verb mit trennbarer Vorsilbe:** beibringen, auseinanderhalten; **Verb mit nicht trennbarer Vorsilbe:** unterstützen; **Verb mit fester Präposition:** werden zu + Dat. b) Die Leserin möchte gerne wissen, inwieweit die Eltern das Sprechenlernen von Babys ab dem 3. Monat unterstützen (fördern) können und ob es Übungen gibt, die sie mit ihrem Söhnchen machen könnte. c) Die Expertin ist der Meinung, dass es sinnlos ist, mit ganz jungen Babys irgendwelche Vokabular- oder Grammatikübungen zu machen. Sie rät der Leserin entschieden ab, in dieser Hinsicht etwas zu unternehmen.

S.24/3 **Grundverben + Ergänzungen:** bleiben + wo? (Lokalergänzung), fallen + wohin? (Direktivergänzung), führen + Akk., imitieren + Akk., kommen, leben + Adjektiv/wo? (Lokalergänzung), leisten + Akk., lernen + Akk., notieren + Akk., passieren + Dat., setzen + wohin? (Direktivergänzung), suchen + Akk.; **Verben mit trennbarer Vorsilbe:** aufnehmen, ausbilden, durchführen, herausfinden, hineinwachsen, hinzukommen, vorgehen, weglassen; **Verben mit nicht trennbarer Vorsilbe:** beherrschen, beobachten, betreffen, empfehlen, erfassen, erreichen, erwarten, geschehen, übersetzen, unterhalten, unternehmen, untersuchen, verbessern, verbinden, vergleichen, verzichten, vollziehen; **Verben + feste Präposition:** ausbilden in/an + Dat., führen zu + Dat., hineinwachsen in + Akk., hinzukommen zu + Dat., reagieren auf + Akk., setzen auf + Akk., sprechen von + Dat., sprechen über + Akk., stehen auf + Akk., suchen nach + Dat., vergleichen mit + Dat., verzichten auf + Dat., vorgehen gegen + Akk.; **Modalverben:** müssen, wollen

S.25/4 b) geht, c) gehört, d) verzichten, e) teilzunehmen, f) kommt ... an, g) hängen ... ab, h) gewöhnen, i) achten, j) liegt, k) denken

S.25/5 b) mit, c) über, d) auf, e) von, f) um, g) Für, h) über, i) für, j) um, k) Zu, l) an, m) auf, n) mit, o) an, p) über, q) mit, r) über, s) über, t) Über, u) um, v) über, w) an, x) über, y) von

S.26/6 a) Sie bekämpfen ihre Feinde. b) Wie urteilen Sie über diesen Fall? c) Hoffentlich wird sie unseren Rat befolgen. d) Wir bewohnten ein kleines Appartement. e) Wir staunen über den modernen Außenlift.

S.26/7 verblühen - Blumen, verbrennen - Kohle, verdampfen - Wasser, verderben - Brot, Obst, verfallen - Häuser, vergehen - Schmerzen, verhungern - Lebewesen, verklingen - Musik, verrosten - Geräte aus Eisen, verschimmeln - Brot, Obst

S.26/8 besser - verbessern, billig - verbilligen, öffentlich - veröffentlichen, scharf - verschärfen, schön - verschönern, stark - verstärken, teuer - verteuern
b) verbilligt/verteuert, c) verbilligt, d) verschönert, e) verstärken, f) verbessert, g) verschärft

S.27/9 b) entspannt, c) entsorgt d) entwaffnet, e) entmachtet, f) entwertet

S.27/10 jemanden mit einem Beil erschlagen, die Mafia zerschlagen, das verdorbene Essen erbrechen, ein Glas zerbrechen, ein Haus/Auto erwerben, sich selbst aus Verzweiflung erhängen, ein Stück Papier zerreißen, eine Ameise zertreten, ein Haus durch eine Bombe zerstören

S.27/11 trennbare Verben

S.28/12 b) verlassen, c) erlassen, d) zulassen, e) ausgelassen, f) entlassen, g) hinterlassen, h) anzulassen, i) überlassen, j) zerlassen

S.28/13 a) 2 verfahren, 3 erfahren, 4 befahren;
b) 1 vertragen, 2 beträgt, 3 betragen, 4 ertragen;
c) 1 versetzt, 2 ersetzen, 3 besetzt, 4 versetzt;
d) 1 bestellen, 2 erstellen, 3 verstellt; e) 1 belegt, 2 verlegt, 3 erlegt

S.29/14 Bild 1: ... macht das Bett; Bild 2: ... macht sich Gedanken/Sorgen; Bild 3: ... macht eine Reise.

S.29/15b eine Entscheidung / einen Freund / eine Veränderung machen

S.29/15c ein Angebot machen - anbieten, einen Vorschlag machen - vorschlagen, einen Versuch machen - versuchen, Angaben machen - angeben, einen Vorwurf machen - vorwerfen, eine Mitteilung machen - mitteilen, einen Besuch machen - besuchen

S.29/15d einen Fleck wegmachen (entfernen), das Licht ausmachen (löschen), das Licht anmachen (anzünden), die Tür aufmachen (öffnen), die Tür zumachen (schließen), eine Bewegung vormachen (zeigen), eine Bewegung nachmachen (imitieren), eine schwere Zeit durchmachen (erleben), einen Termin ausmachen (aushandeln), einen Termin abmachen (verabreden/fixieren), das Obst aus dem Garten einmachen (einkochen), ein Vermögen vermachen (vererben), die Arbeit eines Kollegen mitmachen (übernehmen), das Radio anmachen (einschalten), das Radio ausmachen (ausschalten), das Fenster aufmachen (öffnen), das Fenster zumachen (schließen), eine Turnübung vormachen (vorzeigen), eine Turnübung nachmachen (imitieren), eine Turnübung mitmachen (sich beteiligen)

S.30/16 ein Referat halten; ein Thema anschneiden; eine Antwort geben; eine Auskunft erteilen/geben; eine Frage haben/stellen; eine Rede halten; einen Hinweis geben; einen Rat geben; ins Gespräch bringen/kommen; zum Ausdruck bringen/kommen; zur Diskussion bringen/stellen; zur Sprache bringen/kommen

S.30/17 Die Schweiz hat circa 7 Millionen Einwohner. Die Hauptstadt heißt Bern. In der Schweiz bezahlt man mit Schweizer Franken. Es gibt vier Amtssprachen: Deutsch, Französisch, Italienisch und Rätoromanisch. Die Schweiz ist ein Bundesstaat mit 26 Kantonen. Über zwei Drittel der Fläche sind Berge. Circa zwei Drittel der Schweizer sprechen Deutsch als Muttersprache, circa 20% Französisch, 8% Italienisch und nur etwas mehr als ein halbes Prozent Rätoromanisch. Fast 9 Prozent sind Ausländer, die eine andere Muttersprache sprechen. Fast die Hälfte der Schweizer sind Katholiken, etwa 40% sind Protestanten. Etwas mehr als 2 Prozent sind Muslime, aber nicht einmal ein halbes Prozent sind Juden. Knapp zwei Drittel der Schweizer leben in Städten. Die wichtigsten Städte sind Zürich, Basel, Genf und Lausanne.

S.31/19 **lernen:** *Wer?* der Kursteilnehmer/die Kursteilnehmerin; *Bei wem?* beim Kursleiter, bei der Kursleiterin; *Wo?* im Institut, im Unterrichtsraum, im Klassenzimmer, in der Bibliothek; *Womit?* mit dem Lehrwerk, mit der Kassette, mit der Lernkartei; *Was?* den Lernstoff, Deutsch; *Wie?* eifrig, auswendig, intensiv, genau
studieren: *Wer?* der Student/die Studentin; *Bei wem?* beim Dozenten/bei der Dozentin, bei dem Professor/bei der Professsorin; *Wo?* an der Hochschule, am Institut, im Hörsaal, in der Vorlesung, in der Bibliothek; *Was?* Naturwissenschaften, das Fach, Deutsch, Geisteswissenschaften, Germanistik, die Sekundärliteratur, die Fachliteratur; *Wie?* eifrig, intensiv, praxisorientiert, genau

S.31/20 (a) Hochschule (b) Hauptschule (c) Berufsschule (d) Realschule (e) Fachhochschule (f) Grundschule (g) Gesamtschule (h) Gymnasium

S.32/22 Frankfurt, 17.03.20.. / Reklamation ... / Sehr geehrte Damen und Herren, / Sie / Mit freundlichen Grüßen

S.33/24 a) Brief erhalten; b) Ihr Päckchen mich gefreut hat; c) mir weiter zugeschickt wird; d) für meine berufliche Tätigkeit; e) nicht per Luftpost/per normaler Post/auf dem Landwege; f) dass ich umgezogen bin; g) finden Sie unten/liegt bei; h) Mit herzlichen Grüßen/Herzliche Grüße und vielen Dank; i) Lassen Sie es sich gut gehen

S.33/25 **Pro:** vergessen; kommt der Vorteil; Vorteil/Aspekt/Punkt; Wert auf; **Kontra:** überzeugt; bezweifle; Meinung; davon; kaum/nicht; Ich bin der Meinung/Ich meine; das Argument; dürfen

S.34/27 **Stellenanzeigen:** zunächst in der Zeitung selektiv, um eine passende Anzeige zu finden, dann detailliert, um herauszufinden, ob alle Details auf mich passen; **Übung:** detailliert, weil alle Details wichtig sind für die richtige Lösung; **Gedicht:** detailliert, weil in einem Gedicht jedes Wort und jedes Satzzeichen wichtig ist; **Zeitungsnachrichten:** alle drei Stile sind möglich; global, um interessante Nachrichten zu finden; selektiv, um einen Überblick zu gewinnen; detailliert, wenn mich die Nachricht wirklich interessiert; **Gebrauchsanweisung:** selektiv, um die Passage zu finden, in der mein Problem beschrieben ist; detailliert, wenn ich die Stelle gefunden habe, die für mich im Moment wichtig ist; **Beipackzettel:** zunächst selektiv, bis ich die Information gefunden habe, die ich brauche, dann detailliert; **Katalog:** selektiv, detailliert, wenn ich ein interessantes Produkt gefunden habe

S.35/28 Mit Büchern bin ich aus der Wirklichkeit geflohen; mit Büchern bin ich in sie zurückgekehrt. Ich habe lesend meine Umgebung vergessen, um die Umgebungen anderer zu erkunden. Auf Sätzen bin ich durch die Zeiten gereist und rund um die Erde. Bücher haben mir Angst gemacht und Bücher haben mich ermutigt. Sie sind meine Waffe. Eine andere habe ich nicht.

S.35/29 b) über, c) beim, d) gegen, e) an, f) um, auf, g) an, h) auf, auf, i) für, nach, j) vor, mit, k) über, l) zu

S.35/30 b) bestand, c) basierte, d) ging ... aus, e) begann, f) hing ... ab, g) achtete

S.36/31b **Verben mit Präpositionen + Dat.:** vertauschen mit, unterbringen bei; **Verben mit Präpositionen + Akk.:** halten für, ausfragen über, verwickeln in; **Verben mit trennbarer Vorsilbe:** einsperren, aufwachsen, freisetzen, ausfragen, unterbringen, einholen; **Verben mit nicht trennbarer Vorsilbe:** erzählen, vertauschen, beeinflussen, bestaunen, entgehen, verwickeln, erzählen

S.36/32 b) erzählt/sagt, c) sprechen, d) spreche – spricht, e) redet, f) Sag/Sagt/Sagen Sie, g) sprechen, h) Sprich/Sprecht/Sprechen Sie, i) sagt, j) sagte

S.37/2 Lehrer, Lehrerin, Lehrerinnen; Leser, Leserin, Leserinnen; Dichter, Dichterin, Dichterinnen; Sänger, Sängerin, Sängerinnen; Spieler, Spielerin, Spielerinnen

S.37/4 in der linken Spalte

Lektion 3

S.39/1 auswählen = sich zwischen verschiedenen Möglichkeiten entscheiden; erklären = die Bedeutung eines Wortes angeben; sich konzentrieren = seine Aufmerksamkeit auf etwas richten; übersetzen = von einer Sprache in eine andere übertragen; verstehen = die Bedeutung von etwas wissen; wiederholen = etwas noch einmal lernen

S.40/3 **ableiten aus bekannten Wörtern:** sich erfrischen, Herzstück, Kernstück; **verstehen aus einem anderen Teil des Textes:** preisgeben – Verb zu ... diese Stadt und dieses Volk = aufgeben, verraten; überquellend – Ergänzung zu Leben = wie Milch, die im Kochtopf überkocht (überquillt); in den Himmel schießt – Ergänzung zu Fernsehturm = sehr hoch; beklemmend – Ergänzung zu dramatisch und Mauer, Flüchtende = bedrückend, deprimierend; mit ganz besonderer Note = von besonderer Art

S. 41/5 (1) Dank deiner, (2) von deiner Wohnung aus – entlang, (3) gegenüber der, (4) Innerhalb der, (5) außerhalb des

S.41/6 nicht richtig: Er ist übersichtlich.

S.42/7 **Position 1:** Wir; Beate; Wegen des schlechten Wetters; Einige von uns; Die anderen; **Position 2:** haben; hat; mussten; waren; wohnten; **Position 3, 4:** am ersten Tag zu Fuß einen Stadtrundgang; dabei in einer kleinen Seitenstraße ein schönes Café; wir die letzten Urlaubstage in Museen; bei einer Familie privat; in einem Jugendhotel; **Endposition:** gemacht; entdeckt; verbringen; untergebracht

S.42/8 a) Nach dreistündigem Schlangestehen verließ Christoph genervt das Museum. / Christoph verließ nach dreistündigem Schlangestehen genervt das Museum. b) Wir sind nach dem Frühstück gerne noch etwas im Hotel geblieben. / Nach dem Frühstück sind wir gerne noch etwas im Hotel geblieben. c) Der Rasen ist durch die starken Regenfälle ziemlich nass. / Durch die starken Regenfälle ist der Rasen ziemlich nass. d) Die Friedrichstraße war am Montag wegen Bauarbeiten teilweise gesperrt. / Wegen Bauarbeiten war die Friedrichstraße am Montag teilweise gesperrt. / Am Montag war die Friedrichstraße wegen Bauarbeiten teilweise gesperrt. e) Inge wartet schon seit einer Stunde ungeduldig vor dem Brandenburger Tor auf ihre Freundin. / Schon seit einer Stunde wartet Inge ungeduldig vor dem Brandenburger Tor auf ihre Freundin. f) Ich trinke vor dem Nachhausegehen noch schnell in einer Eckkneipe ein Glas Berliner Weiße. / Vor dem Nachhausegehen trinke ich noch schnell in einer Eckkneipe ein Glas Berliner Weiße. g) Ich hätte heute Morgen bei der Kälte am liebsten drei Pullover angezogen. / Heute Morgen hätte ich bei der Kälte am liebsten drei Pullover angezogen.

S.42/9 a) temporale vor lokaler Angabe: ... schon mal in Berlin ... b) Verb an Position 1 im Imperativsatz: Lass uns am Sonntag ... c) Endposition von Verb 2: ... einen Brief an sie geschrieben. d) Angaben vor Präpositionalergänzung: ... um acht Uhr mit dem Bus zur Arbeit. e) Verb an Position 2: Dieses ist das langweiligste Buch ... f) temporale vor modaler Ergänzung vor Präpositionalergänzung: ... vor fünf Jahren freiwillig ins Ausland. g) Verb an Position 1 im Imperativsatz, Verb im Nebensatz in die Endposition: Sei etwas ... / ... zum Anziehen kaufst.

S.43/10 a) Er hat gestern eine Karte an seinen Freund geschrieben. b) Im Hotel gab es gestern Abend schrecklich viel Lärm wegen der Ankunft einer neuen Reisegruppe. c) Peter fuhr mit seinem Fahrrad ganz allein durch die neuen Bundesländer. d) Während unseres Berlinbesuchs waren wir auch im Theater. e) Betty schenkte ihrer Gastfamilie zum Abschied ein Andenken aus ihrer Heimat. f) Sie versprach der Familie, sie bald wieder zu besuchen.

S.43/11 a) „Becky Bernstein goes Berlin“ ist der Titel eines intelligenten Romans | über eine amerikanischen Künstlerin mit Wohnsitz in Berlin.
b) Die Autorin hat Literaturwissenschaft in New York studiert und kam wie ihre Romanfigur 1972 | nach Berlin. c) Sie ist | Moderatorin beim Hörfunk. d) Sie war | 24. e) Die Liebe | dauerte allerdings nicht sehr lange. f) Die Liebe zu Berlin | hält an. g) Sie hat | zu erzählen. h) Becky Bernstein hat als Kind in Brooklyn East, | gewohnt. i) „Berlin ist ein kleines New York“, sagt | Becky einmal. j) „Es hat die Spannung | einer Millionenstadt. k) Aber es hat | den provinziellen Charme der Alten Welt.“ l) Becky ist auf der Suche nach | dem passenden Mann.
m) Beides, | teilt die Heldin mit vielen Frauen in Deutschland und in den USA. n) Das Buch präsentiert die Stadt | als weitere Hauptfigur.
o) Holly-Jane Rahlens erzählt | vom geteilten Berlin und vom Mauerfall. p) Ein | amüsanter Roman.

S.44/12 **in den Vororten und Wohngebieten:** das Hochhaus, der Kindergarten, das Mehrfamilienhaus, die Moschee, die Kirche, Reihenhäuser, das Schwimmbad, die Schule, der Spielplatz, das Sportstadion, die Universität, der Wohnblock; **im Industriegebiet:** das Einkaufszentrum, das Elektrizitätswerk; **im historischen Stadtkern:** die Bibliothek, die Kirche, der Markt, das Opernhaus, der Platz, das Rathaus, das Restaurant, das Theater, die Universität; **im Zentrum:** die Bank, das Bürogebäude, der Busbahnhof, das Café, das Hochhaus, das Kaufhaus, das Kino, die Konzerthalle, die Kunstgalerie, der Markt, die Moschee, das Museum, das Opernhaus, das Parkhaus, das Postamt, das Rathaus, das Restaurant, das Schuhgeschäft, der Supermarkt, das Theater, die Universität;
im Vergnügungsviertel: das Café, das Kino, die Konzerthalle, die Kunstgalerie, der Nachtklub

S.44/13 Das Wiener Kaffeehaus ... Sein Erfinder ... Er soll ... Schnell wurde ... Bis 1840 ... Für jeden Wiener ... Erst als ... Die große Zeit ... Doch gerade ...

S.45/16 Frankfurt, 17.03.20..; Lieber Sven; Du, Ihr, Sie; Beste Grüße

S.46/17 was mache ich – was ich den ganzen Tag mache; Wochentagen ich gehe – Wochentagen gehe ich; Nachdem – Nach dem; in die Mediothek meistens noch – meistens noch in die Mediothek; gleich nach Hause gehen – gehe gleich nach Hause; oft ich verreise – verreise ich oft; Zum Beispiel ich bin – Zum Beispiel bin ich; mir hat gefallen – hat mir ... gefallen; bin ... besucht – habe ich das ... besucht/bin ... gegangen; aber habe ich – aber ich habe; Leider, meine Wohnung ist – Leider ist meine Wohnung; Deshalb ich muss – Deshalb muss ich; leicht für mich nicht – nicht leicht für mich; schreibst wieder – wieder schreibst

S.46/19 a) Es scheint, als ob die Berliner keine Zeit hätten. Vielleicht haben die Berliner keine Zeit, weil sie so viel arbeiten. b) Es scheint, als ob in dieser Stadt geschuftet würde. Vielleicht wird in Berlin so viel gearbeitet, dass keiner mehr Zeit hat, um zum Beispiel ins Kino zu gehen.
c) Es scheint, als ob der Berliner sich nicht unterhalten könnte. Vielleicht können sich die Berliner nicht unterhalten, weil sie schlechte Zuhörer sind. d) Es scheint, als ob die Berliner einander fremd wären. Vielleicht sind die Berliner einander fremd, weil sie sich nicht miteinander unterhalten.

S.47/20 nach; Durch; als; unter; von; trotz; vor; seit

S.48/21 a) Weißt du, dass der deutsche Regisseur W.W.

vor einigen Jahren einen Spielfilm über Berlin drehte? b) Vor einigen Jahren drehte der deutsche Regisseur W. W. einen Spielfilm über Berlin. c) Worüber drehte W. W. einen Spielfilm? d) Weißt du, wer vor einigen Jahren einen Spielfilm über Berlin drehte? / a) In Cannes erhielt der Film die Goldene Palme für die beste Regie. b) Weißt du, wofür der Film die Goldene Palme erhielt? c) Wussten Sie, dass der Film in Cannes die Goldene Palme für die beste Regie erhielt? d) Wofür erhielt der Film die Goldene Palme?

S.48/22 Am 1. November ... Dieses Datum ... Das Jubiläum ... Dabei werden ... Sie alle belegen ...

S.48/23 **Form:** breit, länglich, oval, rechteckig, schmal, undefinierbar, unregelmäßig, viereckig; **Stil:** altdeutsch, barock, historisch, klar, klassisch, undefinierbar, verspielt; **Größe:** breit, imposant, riesig, schmal, winzig

S.49/3c 1e; 2i; 3f; 4h; 5a; 6c; 7d; 8b; 9g

Lektion 4

S.51/1 er bilanzierte; sie lehnten ab; ich bewirkte; er schuf/schaffte; sie pflegten; ich jobbte; er plauderte; sie protokollierten; ich schlenderte; er stapelte; sie tauschten; ich verdrängte; er war vorhanden

S.52/3 hält; nimmt; fährt; sitzt; steigt; bedankt; geht; trainieren; legt; öffnet; bedankt

S.53/4 (a) der Verkaufsmarkt; (b) das Einkaufshaus; (c) der Einkaufshandel; (d) Versand-Shopping; (e) der Versandmarkt

S.53/5 **Apotheke:** Medikamente; **Boutique:** (modische) Kleidung; **Buchhandlung:** Bücher; **Drogerie:** Kosmetik, Putzmittel, Tiernahrung etc.; **Feinkostladen:** Delikatessen, Wurstwaren, Salate, Käse etc.; **Juwelier:** Schmuck, Uhren; **Kaufhaus:** alles; **Kiosk:** Zigaretten, Getränke, Presse, Süßigkeiten etc.; **Reformhaus:** gesunde Nahrungsmittel, Naturkosmetik etc.; **Schreibwarengeschäft:** Papierwaren, Schreibartikel, Büroartikel etc.; **Zoogeschäft:** Kleintiere, Ausstattung, Futter und Pflegemittel für Tiere

S.54/7 **Personen:** der Hersteller, die Kassiererin, der Kunde, der Lieferant, der Verbraucherschützer; **Orte:** die Einkaufspassage, das Einkaufszentrum, die Filiale, der Flohmarkt, das Kaufhaus, das Lager, das Versandhaus, die Werbeagentur, der Wochenmarkt; **Leistungen:** das Angebot, der Artikel, das Markenprodukt, das Schnäppchen, die Werbekampagne

S.54/8 Lösungsvorschläge: (b) Im Gegensatz zu normalen Supermärkten gibt es bei Aldi nicht mehr als 600 Artikel. (c) Die Waren werden nicht wie bei normalen Supermärkten aus den Kartons ausgepackt. (d) Im Unterschied zu normalen Supermärkten bekommen bei Aldi die Geschäftspartner keine Geschenke. (e) Bei Aldi gibt es – im Gegensatz zu normalen Supermärkten – keine Markenprodukte. (f) An den Kassen wartet man bei Aldi nicht so lange wie in normalen Supermärkten.

S.54/9 (b) kaum etwas/nichts (c) nichts/nicht viel (d) kein Vergnügen (e) kaum/nicht sehr ausführlich (f) keine/nicht mehr viel (g) nicht so gut (h) niemals (i) nicht so schlecht (j) haben wir nicht eingesteckt (k) nicht gern (l) niemals/nicht ein einziges Mal (m) nicht (n) Nicht alle (o) nicht groß genug (p) kaum Geld/nicht viel Geld (q) keine

S.55/10 humorlos, verantwortungslos, gewaltlos; die anderen werden mit *un-* negiert

S.55/11 (a) Tippfehler (b) Betreff; Empfänger (c) Anrede (d) Umgangssprache (e) Grußformel (f) Unterschrift (g) Postadresse

S.55/12 (a) Geld für Kleidung ausgeben. (b) stehen Schuhe. (c) werden 71 Mio. Euro ausgegeben. (d) Lösungsvorschlag: Getränke, Fast Food und Süßigkeiten. (e) 19 Mio. Euro ausgegeben. (f) Lösungsvorschlag: sind Videos und Bücher. (g) werden für Schulsachen ausgegeben.

S.56/13 (b) Wahrscheinlich geben die jungen Leute bei uns mehr/weniger Geld fürs Kino aus. (c) Junge Menschen in unserer Gegend verwenden ihr Taschengeld eher für ... (d) Ich vermute, dass ... sehr beliebt sind. (e) Bei uns brauchen Jugendliche bestimmt nicht so viel Geld für ... wie die Deutschen.

S.56/14 (a) nie; keine; nichts (b) nicht das eigene Bett?/ das eigene Bett nicht? (c) nicht hatte (d) Ich verteufle Geld ja nicht. (e) keinen; will nicht dogmatisch sein (f) die man nicht unbedingt braucht (g) die nicht dringend nötig sind

S.56/15 passiver Zuhörer: Stichpunkte mitnotieren, das Gehörte in einzelnen Abschnitten noch einmal hören, das Gehörte nachsprechen oder mitsprechen

S.57/18 brechen, brach auf, ist aufgebrochen; gehen, ging aus, ist ausgegangen; bringen, brachte bei, hat beigebracht; schreiben, beschrieb, hat beschrieben; stehen, bestand, hat bestanden; tragen, betrug, hat betragen; ziehen, zog ein, ist/hat eingezogen; tragen, ertrug, hat ertragen; halten, hielt sich auf, hat sich aufgehalten; lassen, ließ sich nieder, hat sich niedergelassen; kommen, kam vor, ist vorgekommen

S.58/19 störte, gab, fraßen, verlangten, trat, trug, erklärte, schafft, geben, hörte, ging, kamen, stand, ertranken, rieben, klopfte, erwiderte, war, bereuen, schüttelte, halten, schliefen, strömten, führte, entdeckten, dachten, gehört

S.59/1 Ameisen; reisen; Beine; weise; Teil; Reise

S.59/2 eigen - faule - frei - heiß - reich - Reifen - schleichen - staunen

S.59/3 Eissee - Braunschweig - Freiburg - Heidelberg - Lindau - Leipzig - Passau - Pforzheim - Traunstein

S.59/4 ei: Eifer - Fleiß - Geist - Leiden - Preis - einen - speichern - Verein - weit - Zweig; au: außen - Bau - behaupten - traurig; äu/eu: Fräulein - Gebäude - Leute - Neu - neun - verstreut

Lektion 5

S.62/2 a) sie wüsste, ich wäre, du könntest, ihr hättet, sie gingen, wir würden helfen, er nähme (würde nehmen), ihr würdet arbeiten, sie bräuchten, du dürftest, wir wollten, das hieße (würde heißen), ich schliefe (würde schlafen), sie sollten; b) ich wäre gefahren, er hätte gespielt, sie hätte geholt, wir hätten gewusst, sie hätten gedurft, du hättest gesehen, er wäre geflogen, ihr wärt geblieben, ich hätte gekannt, er wäre ausgegangen, er wäre gekommen, wir hätten gemacht, sie hätte erzählt, sie hätten überlebt, er wäre erstaunt gewesen, sie hätten gedroht

S.62/3 a) haben, sein, Modal-: b) würde, Original

S.62/4 Lösungsbeispiele: a) Wenn man Naturkatastrophen verhindern könnte, würde man viele Menschenleben retten. b) Wenn diese Methode veraltet wäre, würde man sie nicht mehr so häufig einsetzen. c) Wenn es in meiner Heimat nur glückliche Menschen gäbe, bräuchte man dort keine Psychiater mehr. d) Wenn ich an der Ehrlichkeit von Politikern zweifeln würde, würde ich nicht mehr zu den Wahlen gehen. e) Wenn Computer und Roboter in Zukunft alle Arbeiten übernehmen könnten, hätten die Menschen ein angenehmes Leben.

S.63/5 Lösungsbeispiele: Bild 2) Wenn Tiere sprechen könnten, würden sie sich viel erzählen. Bild 3) Wenn der Mensch vier Hände hätte, könnte er schneller arbeiten. Bild 4) Wenn Babys schon lesen und schreiben könnten, bräuchten sie es später nicht mehr in der Schule zu lernen.

S.63/6 *darauf* bezieht sich auf Speiseplan; *die* bezieht sich auf Leckerbissen; *das* bezieht sich auf Wasser; *Darüber* bezieht sich auf Röhren über einer Fläche; *Die* bezieht sich auf Sonnenkollektoren; *Das* bezieht sich auf künstliche Kohlenhydrate, Öle und Eiweiß; *Dazu* bezieht sich auf das beschriebene Verfahren zur Herstellung synthetischer Lebensmittel.

S.63/7 a) das, dies; es; 1; b) es; 1; c) da(r)-, rückwärts

S.64/8 Lösungsbeispiele: a) eine Kreditkarte: dafür braucht man ein Bankkonto; damit kann man Geld vom Automaten abheben oder bargeldlos bezahlen; dadurch braucht man nicht mehr so viel Angst vor Taschendieben zu haben; b) eine Weltreise: davon träumen viele Menschen; dabei kann man viele verschiedene Länder und Kulturen kennenlernen; darauf muss man sich gut vorbereiten; c) die Zukunft: davor haben manche Leute Angst; darauf freuen sich andere Leute; d) eine Zeitmaschine: davon sprach man schon vor vielen Jahren; damit könnte man in die Vergangenheit oder in die Zukunft reisen; dadurch könnte man das Leben anderer Epochen beeinflussen.

S.64/10 sehen; früher; Rettung; verboten

S.64/11 Sind Sie sich darüber klar, was das bedeutet? – ... obwohl Fische seit 500 Jahren ausgestorben sind. – Wollen Sie dem Computer die Beurteilung überlassen? – Ich verlange, sofort Ihren Vorgesetzten zu sprechen. – Ich bin überzeugt, dass Sie den Fisch in kürzester Zeit entdecken. – Sie wissen, dass vermutlich längst eine Regeneration von Luft und Wasser stattgefunden hat.

S.65/13 Lösungsbeispiele: a) Aber er tut so, als ob sie noch ein glückliches Paar wären. b) Aber er tut so, als wenn er ein gutes Einkommen hätte. c) Aber er tut so, als ob er schon mit mehreren Freunden Pläne gemacht hätte. d) Aber er tut so, als ob alles in Ordnung wäre.

S.65/14 Lösungsbeispiele: b) ... als wäre sie sehr unzufrieden mit ihnen. c) ... als wenn er der Sohn von Franz Beckenbauer wäre. d) ... als ob er alle Teller zerschlagen würde. e) ... als hätte sie drei Tage nichts gegessen. f) ... als ob sie jahrelang dort gelebt hätte.

S.66/16 a) demnächst, b) vor einigen Jahren, c) damals – jetzt, d) in der Zukunft, e) Jahreszeiten – täglich, f) in einigen Jahrhunderten, g) im Augenblick/jetzt/gegenwärtig

S.67/17 heute – heutig; das Jahr – jährlich, vierjährig; die Stunde - stündlich, einstündig; der Tag – täglich, zweitägig; der Monat –monatlich, dreimonatig; die Zukunft – zukünftig; der Abend – abendlich; die Nacht – nächtlich; der Morgen – morgendlich, morgig

S.67/18 2) in der wöchentlichen Beilage, 3) das zukünftige Zusammenleben der Menschen, 4) Bei diesem dreijährigen Projekt 5) täglich, 6) der morgendliche Fitnesslauf, 7) zukünftig, 8) abendliche Aktivitäten, 9) monatlich

S.67/19 b) Dem Glücklichen schlägt keine Stunde; c) Kommt Zeit, kommt Rat; d) Zeit ist Geld; e) Reine Zeitverschwendung; f) Lass dir ruhig Zeit!

S.68/20 Gebäude; Darin; die eigenen vier Wände; eines Eigenheims; Reihenhaus; Bungalows

S.68/21 Dort sieht er sich mit dem völlig anderen Leben der Ba-Yan und ihren kulturellen und technischen Errungenschaften konfrontiert. Er weiß zunächst nur, dass er 1000 Jahre in die Zukunft gereist ist, nicht aber, dass er an einem völlig anderen Ort in einer völlig anderen Kultur gelandet ist. Deshalb kommt es zu grotesken Ergebnissen. Diese kommentiert der Chinese, der deutschen Sprache und Landeskunde zunächst unkundig, mit viel Humor. Als Leser amüsiert man sich darüber. Gleichzeitig beginnt man, Alltägliches und Selbstverständliches der eigenen Kultur aus einer gewissen Distanz zu betrachten. Diese/Sie entsteht dadurch, dass man die eigene Kultur durch die Brille eines naiven und erstaunten Fremdlings sieht. Dadurch gelingt es dem Autor, auf ironische Weise Selbstkritik bzw. Kritik an der eigenen Kultur zu üben.

S.69/22 b) Wenn Herr Siebert früher nach Hause gekommen wäre, hätte seine Frau noch nicht geschlafen. (Wäre Herr Siebert früher nach Hause gekommen, hätte seine Frau noch nicht geschlafen.) c) Wenn die Übertragung des Fußballspiels später beginnen würde, könnten wir sie ganz sehen. d) Wenn die Feuerwehr früher benachrichtigt worden wäre, hätte man das Feuer noch löschen können.
e) Wenn die Umweltverschmutzung nicht den Lebensraum vieler Tiere zerstören würde, wären noch nicht so viele Tierarten ausgestorben.
f) Wenn die Politiker die Warnungen der Experten wahrnehmen würden, würden sie etwas gegen die Ausdehnung der Wüste unternehmen.

S.69/23 **Konjunktiv II mit Modalverb:** sie hätte anrufen sollen; du hättest fragen müssen; ich wollte erklären; ich hätte überlegen sollen; man müsste zweifeln; wir könnten verwirklichen; **Konjunktiv II im Passiv:** wir würden gebraucht; sie wären belogen worden; ihr wärt bestraft worden; ich würde angerufen; du würdest beobachtet; wir wären gerettet worden

S.70/24 b) Hätte ich doch bloß ein neueres Auto!
c) Wenn ich nur nicht immer allein wäre!
d) Wenn ich bloß schlank und hübsch wäre!
e) Hätte ich doch nur Kinder! f) Wäre meine Arbeit doch nur interessanter!

S.70/26 gejagt, flüchtet, entdeckt, versteckt, durchlebt, erhält, erkennt, durchsetzen

S.71/6 Man hört 5 x r. (großen, warten, Wetterbericht, brave, Haustiere)

QUELLENVERZEICHNIS

Kursbuch S. 9: © MEV (MHV); S. 10: © Gerd Pfeiffer (MHV-Archiv); S. 11: Bild 1 © picture-alliance / dpa Bilderdienste; 2 © Nestlé Deutschland AG; 3 © ThyssenKrupp Steel AG; 4 © Steinway & Sons; 5 © picture-alliance/akg-images; S. 13: links © Deutsches Filminstitut, Frankfurt/Main; rechts © Gerd Pfeiffer; unten © Digital-Vision (MHV); S. 14: Bild 1 © Konrad-Adenauer-Stiftung/Harald Odehnal; 4 © Süddeutscher Verlag Bilderdienst, München; 5 © SPD.de – 2004; 10 © picture-alliance/dpa; alle anderen: Courtesy of the University of Texas Libraries, The University of Texas at Austin.; S. 15: links © picture-alliance/dpa; rechts © picture-alliance/akg-images; S. 19: Abdruck mit freundlicher Genehmigung der Verlage: Amman Verlag & Co. Zürich; C.H. Beck'sche München (© Uwe Göbel; Beck'sche Reihe Nr. 4001); Christian Brandstätter, Wien; Verlagsgruppe Droemer Knaur, München; Reclam Verlag, Leipzig; S. 20: Gedicht aus: Kurt Tucholsky, Gesammelte Werke © 1960 by Rowohlt Verlag, Reinbek; S. 21: Foto © Süddeutscher Verlag Bilderdienst, München; Text aus: Kurt Tucholsky, Deutsches Tempo © 1985 by Rowohlt Verlag, Reinbek; S. 24: Abbildung © Rowohlt Verlag, Reinbek; S. 27: © Gerd Pfeiffer (MHV-Archiv); S. 29: © Yvonne Bogdanski/Fotolia.com; S. 37: Chantelle Coleman zitiert aus SZ 10.11.96; Abbildung und Text unten aus: Elias Canetti: Die gerettete Zunge. Gesammelte Werke. Band 6 © 1994 Carl Hanser Verlag, München Wien; S. 38: © Süddeutscher Verlag Bilderdienst, München; S. 41: © Presse- und Informationsamt des Landes Berlin (G. Schneider); S. 42: Buchcover mit freundlicher Genehmigung von DumontReisen (www.dumontreise.de); S. 42: © immodium/Fotolia.com; S. 43: Berlin-Plan © Falk Verlag, Ostfildern; S. 45: © Wiener Tourismus-Verband; S. 46: © Partner für Berlin / FTP-Werbefotografie; S. 47: © John Keith/Fotolia.com; S. 50: Foto © Ullstein Bilderdienst, Berlin; Text aus: Kurt Tucholsky, Gesammelte Werke © 1960 by Rowohlt Verlag, Reinbek; S. 51: links © Wiener Tourismus-Verband; rechts: mit freundlicher Genehmigung von Eduard Kögel; S. 52: © picture-alliance/dpa-Bildarchiv; Text aus: Baedeker's Allianz Reiseführer Wien, 12. Auflage 2003; S. 55: © Alexander Keller, München; S. 56: oben und unten © MHV-Archiv (Christine Stephan); Mitte: Monika Bender, München; S. 57: Text aus: AOL-Homepage ; S. 60: Grafik © APA – Austria Presse Agentur, Wien; S. 61: Foto © Inge Zander/Goldmann Verlag; Hörtext (Interview „Lernen von den Alten") von Johanna Adorján mit Heidemarie Schwermer aus: www.jetzt.de 2001; S. 62: Buchcover mit freundlicher Genehmigung des Goldmann Verlags; S. 64: Text von Marianne von Waldenfels, entnommen aus dem SZ-Magazin Nr. 7/2002; S. 67: Foto: Jim Bauer, Mother with Alien Child, American Primitive Gallery, New York/Aarne Anton; S. 68 f.: Text von Titu Arnu aus: Süddeutsche Zeitung Magazin Nr. 21/95; S. 76: Buchcover: Umschlaggrafik von Celestino Piatti © 1986 by Deutscher Taschenbuchverlag, München; Text aus Herbert Rosendorfer, Briefe in die chinesische Vergangenheit. © 1983 by Nymphenburger in der F. A. Herbig Verlagsbuchhandlung GmbH, München; S. 79: © MEV (MHV);

Arbeitsbuch S. 9: Foto © Interfoto München; Text frei nach Kindlers Literaturlexikon; S. 15: © Süddeutscher Verlag, Bilderdienst, München; S. 18: © Süddeutscher Verlag, Bilderdienst, München; S. 19: © Interfoto München; S. 24: Text aus: Eltern 4/90, S. 5, © Picture Press, Hamburg; S. 36: Foto © Interfoto München; Text nach Movie Line; S. 40: © Landesbildstelle Berlin; S. 41: © Interfoto München; S. 43: Text aus: Spiegel 39/1996, S. 242, Spiegel-Verlag, Hamburg; S. 47: © Interfoto München; S. 48: Text aus: Lexikon des deutschen Films, Philipp Reclam jun. Verlag, Ditzingen; S. 49: Gedicht aus: Anspiel Nr. 39, Inter Nationes, Bonn; S. 70: © Interfoto München; Text aus: Lexikon des deutschen Films, Philipp Reclam jun. Verlag, Ditzingen; Seite 71: Gedicht von Ernst Jandl aus: poetische Werke, hrsg. von Klaus Siblewski, Bd. 2: Laut und Luise © 1997 by Luchterhand Literaturverlag, München in der Verlagsgruppe Random House GmbH.